跟我学汉语

练习册　第二册

Learn Chinese with Me

Workbook 2

人民教育出版社

People's Education Press

跟我学汉语

练习册　第二册

（英语版）

*

人民教育出版社出版发行

网址：http://www.pep.com.cn

北京人卫印刷厂印装　全国新华书店经销

*

开本：890 毫米×1 240 毫米　1/16　印张：10.25　插页：6

2004 年 8 月第 1 版　2009 年 5 月第 5 次印刷

印数：26 001～34 000 册

ISBN 978－7－107－17545－9

G·10634（课）　定价：39.20 元

如发现印、装质量问题，影响阅读，请与本社出版科联系调换。

（联系地址：北京市海淀区中关村南大街 17 号院 1 号楼　邮编：100081）

Printed in the People's Republic of China

教材项目规划小组

严美华　姜明宝　张少春

岑建君　崔邦焱　宋秋玲

赵国成　宋永波　郭　鹏

主　　编　陈绂　朱志平

编写人员　徐彩华　朱志平　娄　毅

宋志明　陈　绂

英文翻译　李长英

美术编辑　张立衍

插图制作　北京天辰文化艺术传播有限公司

责任编辑　施　歌

审　　稿　王本华　吕　达

说　明

　　本练习册与《跟我学汉语》第二册学生用书相配套，主要作为学生课后作业使用，老师也可有选择地在课堂上使用。本练习册一共有6单元30课，各课设6~8道练习题，内容覆盖汉语拼音、汉字、课文词汇及句型等。由于适用对象是已具有一些汉语基础知识的学生，所以编写本练习册时贯彻了以下几条原则：

　　1. 在词汇方面，与课文相配套，每课都设有对新学词语的练习，重点放在对这些词语的认读上，要求能准确地给它们加汉语拼音，对一些重点词语则同时要求会写。另外，与第一册不同，本练习册不再安排汉语拼音的辨音、声调等练习。

　　2. 在汉字练习方面，仍然贯彻先认读后练写的原则。本练习册与课文相配套，逐步练习汉字的基本结构、基本笔画、最常用部件、笔顺等知识，在此过程中，坚持先练习汉字的认读，然后渐进地练习写汉字。

　　3. 本练习册在注重汉语知识的完整性与系统性的同时，也突出了练习的趣味性，为此也配了一些提示练习的图画，设计了一些有趣的练习形式。

编　者
2004 年 3 月

Introduction

As a supplement to *Learn Chinese with Me* Student's Book 2, this workbook is mainly designed for homework. However, these exercises can also at the teacher's discretion be used as classwork. There are altogether 6 units including 30 lessons, each of which contains 6-8 exercises, such as exercises on *Pinyin*, Chinese characters, vocabulary and sentence patterns. Since this workbook is intended for those who have already learned a certain amount of Chinese, we have kept in mind the following priciples.

1. In terms of vocabulary, exercises are designed to focus on the recognition and reading of the new words introduced in the lesson. In this type of exercise the students are required to supply correct *Pinyin* for the given words and to be able to write some important ones. Unlike Workbook 1, there are no more exercises on sound discrimination or tone practice of *Pinyin*.

2. In terms of Chinese characters, the principle is still being able to identify and read Chinese characters first, followed by being able to write them. This workbook, in accordance with the text, can gradually familiarize the students with the basic structures, basic strokes, common components and stroke order of Chinese characters. During such a process, identifying and reading Chinese characters always comes before writing.

3. We insured that the introduction of Chinese is done in an integrated and systematic way; at the same time, we tried to make every exercise interesting. Therefore, we added some pictures and other amusing forms of exercises.

Compilers

March, 2004

CONTENTS

Unit One

1 我 来 介 绍 一 下
wǒ lái jiè shào yí xià

1. Combine the characters in the box into words and then write them in *Pinyin*.

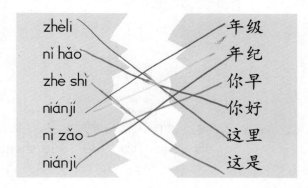

年 介 识 欢	
高 你 早 认	
迎 兴 级 学	
生 绍 上 们	

(1) 年级 niánjí   (2) 认识 rènshi
(3) 学生 xuéshēng   (4) 高兴 gāoxìng
(5) 你们 nǐmen   (6) 欢迎 huānyíng
(7) 早上 zǎoshang (8) 介绍 jièshào

2. Choose the correct *Pinyin* for each word.

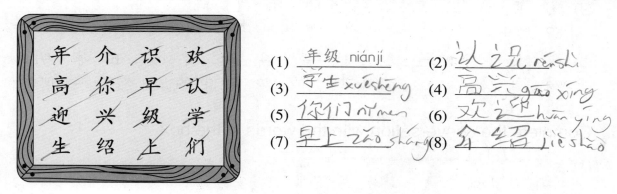

zhèli	年级
nǐ hǎo	年纪
zhè shì	你早
niánjí	你好
nǐ zǎo	这里
niánjì	这是

3. Translate.

(1) bān 班   class
(2) xīn 新   new
(3) jièshào 介绍
(4) rènshi 认识   to meet
(5) niánjí 年级   grade
(6) gāoxìng 高兴   happy

4. Complete the following sentences with the given words as the example.

看　　用　　介绍　　借
kàn　yòng　jièshào　jiè

(1) 我　能　<u>借　一　下</u>　你　的　篮　球　吗?
　　 wǒ néng jiè yí xià nǐ de lán qiú ma

(2) 我　来　_____，这　是　新　来　的　刘　老　师。
　　 wǒ lái 　　　　　　　zhè shì xīn lái de liú lǎo shī

(3) 你　的　书　很　好，我　能　_<u>用</u>__ 吗?
　　 nǐ de shū hěn hǎo wǒ néng 　　　ma

(4) 我　能　_<u>用</u>__ 你　的　铅　笔　吗?
　　 wǒ néng 　　　 nǐ de qiān bǐ ma

(5) 我　来　_____，这　是　我　的　朋　友　王　家　明。
　　 wǒ lái 　　　　　　　zhè shì wǒ de péng you wáng jiā míng

5. Complete the conversation with the words in the box.

(1)

也　　认识　　这　　早　　一下
yě　rènshi　zhè　zǎo　yí xià

A: 你　早!
　　 nǐ zǎo

B: 你　_<u>早</u>__ !
　　 nǐ

A: 我　来　介　绍　_<u>一　下</u>__，_<u>这</u>__ 是　新　来　的　学　生
　　 wǒ lái jiè shào 　　　　　 shì xīn lái de xué sheng

　　 杰　克。
　　 jié kè

B: 你　好! _<u>认识</u>__ 你　很　高　兴。
　　 nǐ hǎo 　　　 nǐ hěn gāo xìng

C: 你　好! 认　识　你　我_<u>也</u>__ 很　高　兴。
　　 nǐ hǎo rèn shi nǐ wǒ 　　 hěn gāo xìng

2

(2)

欢 迎	找	你 好	新	年 级
huānyíng	zhǎo	nǐhǎo	xīn	nián jí

A: 你 好! 你 ___找___ 谁?
　　nǐ hǎo nǐ 　　　　shuí

B: _你好_! 我 是 _新_ 来 的 学 生, 我 叫 王 家
　　　　　　wǒ shì 　　lái de xué sheng wǒ jiào wáng jiā

明。
míng

A: _欢迎_ 你 来 十 _年级_ 三 班。
　　　　　nǐ lái shí 　　　　sān bān

B: 谢 谢!
　　xiè xie

6. **Translate the following sentences into English.**

(1) 这 是 王 老 师, 这 是 杰 克。
zhè shì wáng lǎo shī zhè shì jié kè

This is Ms. Wang, the teacher, and this is Jack.

(2) 这 是 我 的 朋 友 安 妮。
zhè shì wǒ de péng you ān nī

This is my friend Annie.

(3) 我 来 介 绍 一 下, 这 里 是 运 动 场。
wǒ lái jiè shào yí xià zhè li shì yùn dòng chǎng

_____

(4) 你 们 好! 认 识 你 们 很 高 兴。
nǐ men hǎo rèn shi nǐ men hěn gāo xìng

Hello everybody! I am very happy to meet you all.

7. Writing.

Hints: Answer the following questions in the given order and then join them together to make a paragraph.

Questions: Have you met any new friends, classmates or teachers lately? What do they look like? What characteristics and hobbies do they have?

Key words: 新 班 年级 认识 介绍 样子 喜欢
xīn bān nián jí rènshi jièshào yàngzi xǐhuan

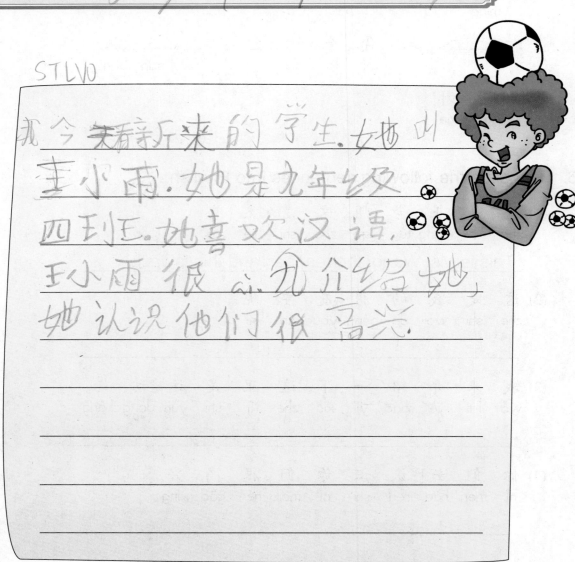

STLVO

我今天看新来的学生.她叫
王小雨.她是九年级
四班.她喜欢汉语.
王小雨很 ai. 我介绍她,
她认识他们很高兴.

8. Exercises on Chinese characters.

(1) Identify the components of each of the following Chinese characters.

Example 好→女＋子

绍→ 纟＋刀＋口　　妮→ 女＋尼　　　级→ 纟＋及　　　借→ 亻＋卄＋日

(2) Combine the following grouped components into Chinese characters.

Example 口＋昌→唱

门＋口→ 问　　讠＋青→ 请　　木＋子→ 李　　宀＋女→ 安

(3) Copy the Chinese characters by following the stroke order.

jiè	介	介 介 介 介 介 介 介
rèn	认	认 认 认 认 认 认 认
jí	级	级 级 级 级 级 级 级
shí	识	识 识 识 识 识 识 识
shào	绍	绍 绍 绍 绍 绍 绍 绍

2　他们骑自行车上学

tā men qí zì xíng chē shàng xué

1. Combine the characters in the box into words and then write them in *Pinyin*.

怎	学	一	坐
路	邻	客	自
直	中	么	气
行	口	居	车

(1) 怎么　zěnme　　　　(2) 坐

(3) 中学 zhōngxué　　　(4)

(5) 自行车 zìxíngchē　　(6)

(7) 一直 yì zhí　　　　(8)

2. Choose the corresponding translation for each word.

1 go to school	2 ride	3 bicycle
4 high school	5 how	6 street

zhōngxué 中学 ___4___　　　zěnme 怎么 ___5___

qí 骑 ___2___　　　　　　　jiē 街 ___6___

shàngxué 上学 ___1___　　　zìxíngchē 自行车 ___3___

3. Choose the correct *Pinyin* for each word.

lìng	中学
zìxíngchē	前
xiǎoxué	坐车
zhōngxué	自行车
qián	小学
zuò chē	另

4. **Answer the questions according to the pictures.**

(1)

李 大 龙 每 天 怎 么 上 学？
lǐ dà lóng měi tiān zěn me shàng xué

他 每 天 骑 自 行 车 上 学。
tā měi tiān qí zì xíng chē shàng xué

(2)

安 妮 每 天 怎 么 上 学？
ān nì měi tiān zěn me shàng xué

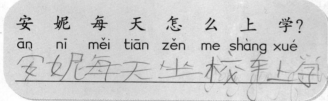

(3)

王 小 雨 每 天 怎 么 上 学？
wáng xiǎo yǔ měi tiān zěn me shàng xué

她每天

(4)

王 老 师 每 天 怎 么 去
wáng lǎo shi měi tiān zěn me qù

学 校？
xué xiào

她每天坐车去学校

5. Complete the conversation with the words in the box.

(1)

怎么	早上	骑	坐
zěn me	zǎoshang	qí	zuò

A: 早 上 好!
   zǎo shang hǎo

B: 早上 _____ 好! 你 坐 ___ 车 上 学 吗?
              hǎo nǐ   chē shàng xué ma

A: 是 的, 你 呢? 你 怎么 _____ 上 学?
   shì de nǐ ne nǐ   shàng xué

B: 我 骑 ___ 自 行 车 上 学。
   wǒ   zì xíng chē shàng xué

(2)

往	条	邻居	住	怎么
wǎng	tiáo	lín jū	zhù	zěn me

A: 请 问, 你 和 安 妮 是 _____ 吗?
   qǐng wèn nǐ hé ān nī shì   ma

B: 不 是, 她 _____ 在 另 一 _____ 街 上。
   bú shì tā   zài lìng yì   jiē shang

A: 去 她 家 _____ 走?
   qù tā jiā   zǒu

B: 一 直 _____ 前 走, 到 路 口 向 左 拐。
   yì zhí   qián zǒu dào lù kǒu xiàng zuǒ guǎi

6. Translate the following sentences into English.

(1) 请 问, 去 朗 文 中 学 怎 么 走?
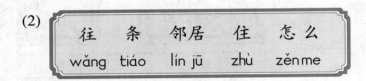
qǐng wèn qù lǎng wén zhōng xué zěn me zǒu

Excuse me, could you tell me how to get to Longman High School?

8

(2) 马 明 每 天 怎 么 去 学 校?
　　mǎ míng měi tiān zěn me qù xué xiào

_____

(3) 她 每 天 骑 自 行 车 上 学。
　　tā měi tiān qí zì xíng chē shàng xué

_____

(4) 李 大 龙 住 在 另 一 条 街 上。
　　lǐ dà lóng zhù zài lìng yì tiáo jiē shang

_____

7. Writing.

Hints: Tell how you go to school every day and where your school is located. Do you go to school by bus, by car or by bike?

Key words: 怎 么　　上 学　　街　　住　　时 间　　车　　自 行 车
　　　　　　zěn me　shàng xué　jiē　zhù　shíjiān　chē　zì xíngchē

8. Exercises on Chinese characters.

(1) Identify the components of each of the following Chinese characters.

Example 全→人＋王

郎→　　　　　街→　　　　　条→　　　　　课→

(2) Combine the following grouped components into Chinese characters.

Example 彳＋主→往

口＋力→　　　　马＋大＋可→　　　　亠＋月＋刂→　　　　人＋人＋土→

(3) Copy the Chinese characters by following the stroke order.

zì 自	自	自	自	自	自	自						
zuò 坐	坐	坐	坐	坐	坐	坐	坐					
zhí 直	直	直	直	直	直	直	直	直				
qián 前	前	前	前	前	前	前	前	前	前			
lǎng 朗	朗	朗	朗	朗	朗	朗	朗	朗	朗			
jiē 街	街	街	街	街	街	街	街	街	街	街	街	街

3 我 想 选 音 乐 课
wǒ xiǎng xuǎn yīn yuè kè

1. Combine the characters in the box into words and then write them in *Pinyin*.

历	学	英	术
数	心	选	担
武	语	史	修
不	必	过	课

(1) <u>历史 lìshǐ</u>   (2) _____

(3) _____   (4) _____

(5) _____   (6) _____

(7) _____   (8) _____

2. Choose the correct *Pinyin* for each word.

wǔshù	下
qǐng	历史
shàng	帮
xià	武术
lìshǐ	上
bāng	请

3. Translate.

(1) xuǎn 选 <u> select </u>   (2) bāng 帮 _____

(3) shàngkè 上课 _____   (4) shùxué 数学 _____

(5) lìshǐ 历史 _____   (6) Yīngyǔ 英语 _____

(7) wǔshù 武术 _____   (8) dānxīn 担心 _____

4. Answer the questions according to the pictures.

(1)

马 明 想 上 什 么 课?
mǎ míng xiǎng shàng shén me kè

马 明 想 上 汉 语 课。
mǎ míng xiǎng shàng hàn yǔ kè

(2)

安 妮 想 上 什 么 课?
ān nī xiǎng shàng shén me kè

_____

(3)

李 大 龙 想 选 什 么 课?
lǐ dà lóng xiǎng xuǎn shén me kè

_____

(4)

王 小 雨 想 选 什 么 课?
wáng xiǎo yǔ xiǎng xuǎn shén me kè

_____

5. Complete the conversation with the words in the box.

不过	还	打算	上	选
bú guò	hái	dǎ suàn	shàng	xuǎn

A: 安 妮，你 ＿＿＿＿ 什 么 课?
ān ní ní shén me kè

B: 我 上 数 学、英 语、历 史……
wǒ shàng shù xué yīng yǔ lì shǐ

A: 你 ＿＿＿＿＿＿＿ 选 什 么 选 修 课?
ní xuǎn shén me xuǎn xiū kè

B: 我 打 算 ＿＿＿＿ 音 乐 课，＿＿＿＿ 想 选 武 术 课。
wǒ dǎ suàn yīn yuè kè xiǎng xuǎn wǔ shù kè

你 呢?
ní ne

A: 当 然 选 汉 语 课，＿＿＿＿＿＿＿ 汉 语 课 很 难。
dāng rán xuǎn hàn yǔ kè hàn yǔ kè hěn nán

6. Translate the following sentences into English.

(1) 安 妮 想 选 数 学 课 和 历 史 课。
ān ní xiǎng xuǎn shù xué kè hé lì shǐ kè

Annie wants to select mathmatics and history.

(2) 汉 语 课 很 有 意 思，不 过 我 不 想 选。
hàn yǔ kè hěn yǒu yì si bú guò wǒ bù xiǎng xuǎn

＿＿＿＿＿＿＿＿＿＿＿＿＿＿＿＿＿＿＿＿＿＿＿＿

(3) 我 说 的 是 王 老 师，不 是 林 老 师。
wǒ shuō de shì wáng lǎo shī bú shì lín lǎo shī

＿＿＿＿＿＿＿＿＿＿＿＿＿＿＿＿＿＿＿＿＿＿＿＿

(4) 别 担 心，我 帮 你。
bié dān xīn wǒ bāng ní

＿＿＿＿＿＿＿＿＿＿＿＿＿＿＿＿＿＿＿＿＿＿＿＿

7. **Complete the form.**

MY CLASS SCHEDULE

	上午 A.M.		下午 P.M.	
星期一 Monday	数 学 shù xué			
星期二 Tuesday				
星期三 Wednesday				
星期四 Thursday				
星期五 Friday				

8. **Writing.**

Hints: Answer the following questions, and then join your answers together to make a
            paragraph.

Questions: What courses have you selected for this semester? Which are the most interesting
            ones? Why?

Key words: 上 课   必修课   选   难   帮   因 为
           shàngkè   bì xiūkè   xuǎn nán bāng yīn wèi

9. Exercises on Chinese characters.

(1) Identify the components of each of the following Chinese characters.

Example　条→夂＋示

程→　　　　　　数→　　　　　　难→

英→　　　　　　音→　　　　　　课→

(2) Combine the following grouped components into Chinese characters.

Example　文＋辶→这

邦＋巾→　　　　且＋力→　　　　先＋辶→

扌＋旦→　　　　寸＋辶→　　　　厂＋力→

(3) Copy the Chinese characters by following the stroke order.

shù	术	术	术	术	术	术							
bì	必	必	必	必	必	必							
wǔ	武	武	武	武	武	武	武	武					
xuǎn	选	选	选	选	选	选	选	选					
kè	课	课	课	课	课	课	课	课	课	课			
shù	数	数	数	数	数	数	数	数	数	数	数	数	数

4 我能用一下你的橡皮吗

wǒ néng yòng yí xià nǐ de xiàng pí ma

1. Choose the corresponding translation for each word.

1 can	2 borrow
3 dictionary	4 schoolbag
5 eraser	6 magazine
7 pencil-box	8 sorry

néng 能 _____ 1 _____   jiè 借 _____

cídiǎn 词典 _____   xiàngpí 橡皮 _____

zázhì 杂志 _____   shūbāo 书包 _____

duìbuqǐ 对不起 _____   wénjùhé 文具盒 _____

2. Choose the correct Pinyin for each word.

dāngrán	能
wénjùhé	拿
néng	本
ná	借
běn	当然
jiè	文具盒

3. Write a Chinese word that can best describe the item in each picture.

(1) _shūbāo 书包_

(2) _____

(3) _____

(4) _____

(5) _____

(6) _____

4. Complete the conversation with the words in the box.

当然　　谢谢　　里　　在　　哪儿　　能
dāngrán　xièxie　lǐ　zài　nǎr　néng

A: 你　好，我 ＿＿＿＿ 借　一　下　你　的　雨　伞　吗?
　　nǐ　hǎo　wǒ　　　　　jiè　yí　xià　nǐ　de　yǔ　sǎn　ma

B: ＿＿＿＿＿＿＿ 可　以。
　　　　　　　　　kě　yǐ

A: 你　的　雨　伞　在 ＿＿＿＿＿?
　　nǐ　de　yǔ　sǎn　zài

B: 在　我　的　书　包 ＿＿＿＿。
　　zài　wǒ　de　shū　bāo

A: 对　不　起，你　的　书　包 ＿＿＿ 哪　儿?
　　duì　bu　qǐ　nǐ　de　shū　bāo　　　nǎr

B: 你　看，在　那　儿。
　　nǐ　kàn　zài　nàr

A: ＿＿＿＿＿＿!

B: 不　客　气!
　　bú　kè　qi

5. Make up sentences according to the pictures as the example.

(1)

A: 我　能　用　一　下　你
　　wǒ　néng　yòng　yí　xià　nǐ

　　的　橡　皮　吗?
　　de　xiàng　pí　ma

B: 可　以。
　　kě　yǐ

(2)

A: _____

B: _____

(3)

A: _____

B: _____

(4)

A: _____

B: _____

6. Translate the following sentences into English.

(1) 我 能 借 一 下 你 的 铅 笔 吗?
　　wǒ néng jiè yí xià nǐ de qiān bǐ ma

_Can I borrow your pencil?_____

(2) 我 能 用 一 下 你 的 橡 皮 吗?
　　wǒ néng yòng yí xià nǐ de xiàng pí ma

_____

(3) 对 不 起, 我 想 看 一 下 你 的 书, 可 以 吗?
　　duì bu qǐ wǒ xiǎng kàn yí xià nǐ de shū kě yǐ ma

_____

(4) 我 能 骑 一 下 你 的 自 行 车 吗?
　　wǒ néng qí yí xià nǐ de zì xíng chē ma

_____

7. **Writing: Look at the pictures and write down what is happening in them.**

Key words: 借　一下　橡皮　哪儿　文具盒　当然
jiè　yí xià　xiàng pí　nǎr　wénjù hé　dāngrán

8. Exercises on Chinese characters.

(1) Identify the components of each of the following Chinese characters.

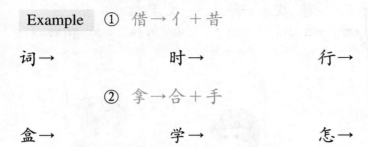

Example ① 借 → 亻 + 昔

词 →   时 →   行 →

② 拿 → 合 + 手

盒 →   学 →   怎 →

(2) Combine the following grouped components into Chinese characters.

Example 士 + 心 → 志

木 + 象 →   口 + 马 →   九 + 木 →

宀 + 各 →   口 + 月 + 阝 →

(3) Copy the Chinese characters by following the stroke order.

běn	本	本 本 本 本 本											
pí	皮	皮 皮 皮 皮 皮											
diǎn	典	典 典 典 典 典 典 典 典											
jù	具	具 具 具 具 具 具 具 具											
ná	拿	拿 拿 拿 拿 拿 拿 拿 拿 拿 拿											
xiàng	橡	橡 橡 橡 橡 橡 橡 橡 橡 橡 橡 橡 橡 橡 橡 橡											

5   我 们 的 校 园
wǒ men de xiào yuán

1. **Combine the characters in the box into words and then write them in *Pinyin*.**

想	教	路	子
宽	园	边	室
椅	户	敞	走
窗	校	念	南

(1) 想念 xiǎngniàn   (2) _____

(3) _____   (4) _____

(5) _____   (6) _____

(7) _____   (8) _____

2. **Choose the correct *Pinyin* for each word.**

kuānchǎng   教室

xiàoyuán   旁边

jiàoshì   窗户

pángbiān   草地

jiàoshī   教师

cǎodì   宽敞

chuānghu   校园

3. **Translate.**

(1) yuǎn 远 _____far_____   (2) xìn 信 _____

(3) yǐzi 椅子 _____   (4) xiàoyuán 校园 _____

(5) xiǎngniàn 想念 _____   (6) pángbiān 旁边 _____

(7) dōngbian 东边 _____   (8) jiàoshì 教室 _____

4. Choose the proper measure word.

个	本	片	张	把	辆	件	支
gè	běn	piàn	zhāng	bǎ	liàng	jiàn	zhī

一（本）书
yì běn shū

一（ ）桌子
yì zhuō zi

一（ ）椅子
yì yǐ zi

一（ ）草地
yí cǎo dì

一（ ）书包
yí shū bāo

一（ ）雨伞
yì yǔ sǎn

一（ ）衣服
yí yī fu

一（ ）光盘
yì guāng pán

一（ ）铅笔
yì qiān bǐ

一（ ）自行车
yí zì xíng chē

5. Translate the following sentences into English.

(1) 我 们 学 校 旁 边 有 一 家 餐 厅。
wǒ men xué xiào páng biān yǒu yì jiā cān tīng

There is a restaurant next to our school.

(2) 邮 局 的 后 边 有 一 家 咖 啡 馆。
yóu jú de hòu bian yǒu yì jiā kā fēi guǎn
_____

(3) 电 影 院 的 旁 边 是 我 们 的 校 园。
diàn yǐng yuàn de páng biān shì wǒ men de xiào yuán

_____

(4) 游 泳 池 的 左 边 是 图 书 馆。
yóu yǒng chí de zuǒ bian shi tú shū guǎn

_____

6. Choose the correct response.

(1) 这 是 谁?
zhè shì shuí

<u>我 来 介 绍 一 下，这 是 王 小 雨。</u>
wǒ lái jiè shào yí xià zhè shì wáng xiǎo yǔ

◆ 王 小 雨 是 我 的 好 朋 友。
wáng xiǎo yǔ shì wǒ de hǎo péng you

◆ 我 来 介 绍 一 下，这 是 王
wǒ lái jiè shào yí xià zhè shì wáng

小 雨。
xiǎo yǔ

(2) 你 每 天 怎 么 上 学?
nǐ měi tiān zěn me shàng xué

_____

◆ 我 想 学 习 很 多 东 西。
wǒ xiǎng xué xí hěn duō dōng xi

◆ 我 每 天 走 路 上 学。
wǒ měi tiān zǒu lù shàng xué

(3) 马　明　想　选　什　么　课？
　　mǎ　míng xiǎng xuǎn shén　me　　kè

_____

◆　马　明　想　选　武　术　课。
　　mǎ　míng xiǎng xuǎn　wǔ　shù　kè

◆　马　明　很　喜　欢　武　术　课。
　　mǎ　míng hěn　xǐ　huan　wǔ　shù　kè

(4) 我　能　借　一　下　你　的　词　典　吗？
　　wǒ　néng jiè　yí　xià　nǐ　de　cí　diǎn ma

_____

◆　是　的，你　能。
　　shì　de　nǐ　néng

◆　当　然　可　以。
　　dāng rán　kě　yǐ

(5) 图　书　馆　的　东　边　是　什　么？
　　tú　shū guǎn　de　dōng bian　shì　shén me

_____

◆　图　书　馆　的　东　边　是　游
　　tú　shū guǎn　de　dōng bian　shì　yóu

泳　池。
yǒng　chí

◆　图　书　馆　的　东　边　有　一
　　tú　shū guǎn　de　dōng bian yǒu　yí

片　草　地。
piàn cǎo　　dì

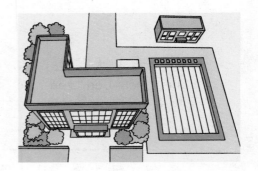

7. Find the *Pinyin* hidden in the box and write down the corresponding Chinese characters.

m	z	o	u	y	t	r	e	w	q
n	ě	h	g	j	x	y	ǐ	z	i
x	n	f	sh	i	a	x	s	p	q
sh	m	x	i	à	o	y	u	á	n
ù	e	i	q	o	h	ī	d	n	b
x	d	à	z	sh	q	n	f	g	p
u	t	n	c	ì	p	y	h	b	i
é	d	g	s	e	l	u	g	i	e
s	h	p	í	w	m	è	h	ā	zh
y	t	d	g	f	n	r	j	n	k

(1) ___xiàngpí 橡皮___   (2) _____

(3) _____   (4) _____

(5) _____   (6) _____

(7) _____   (8) _____

8. Writing.

Hints: Answer the following questions and then make a paragraph. Give a description of your campus.

Questions: Is it far from your home? What is its environment like? What facilities do you have on campus?

Key words: 校园　　教室　　操场　　旁边　　草地　　喜欢　　游泳池
xiàoyuán　jiàoshì　cāochǎng　pángbiān　cǎodì　xǐhuan　yóuyǒngchí

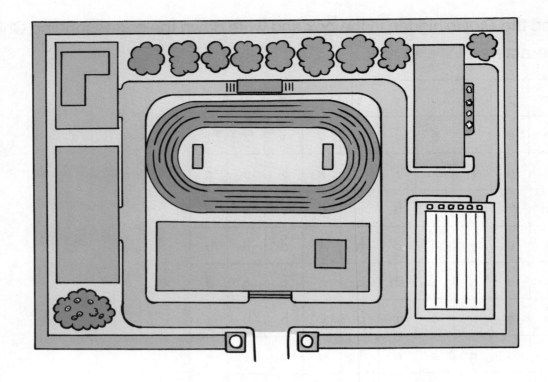

_____

_____

_____

_____

_____

_____

_____

_____

_____

9. Exercises on Chinese characters.

(1) Identify the components of each of the following Chinese characters.

Example ① 窗→穴＋囱

宽→　　　　草→　　　　桌→

② 园→口＋元

图→　　　　包→　　　　居→

(2) Combine the following grouped components into Chinese characters.

Example 饣＋官→馆

今＋心→　　　　宀＋至→　　　　木＋奇→　　　　足＋各→

(3) Copy the Chinese characters by following the stroke order.

hù	户	户	户	户	户								
shì	室	室	室	室	室	室	室	室	室	室			
nán	南	南	南	南	南	南	南	南	南	南			
páng	旁	旁	旁	旁	旁	旁	旁	旁	旁	旁	旁		
yǐ	椅	椅	椅	椅	椅	椅	椅	椅	椅	椅	椅	椅	椅
chuāng	窗	窗	窗	窗	窗	窗	窗	窗	窗	窗	窗	窗	窗

Unit Two

6   哪 个 队 赢 了
        nǎ   ge   duì yíng le

1. Combine the characters in the box into words and then write them in *Pinyin*.

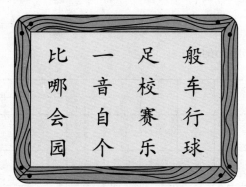

比	一	足	般
哪	音	校	车
会	自	赛	行
园	个	乐	球

(1) 比赛 bǐsài   (2) _____

(3) _____   (4) _____

(5) _____   (6) _____

(7) _____

2. Translate.

(1) duì 队   team   (2) yíng 赢   _____

(3) liúxíng 流行   _____   (4) yìbān 一般   _____

(5) zúqiú 足球   _____   (6) bǐsài 比赛   _____

(7) yīnyuèhuì 音乐会   _____   (8) jiāoxiǎngyuè 交响乐   _____

3. Choose the correct *Pinyin* for each word.

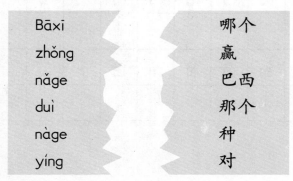

Bāxī	哪个
zhǒng	赢
nǎge	巴西
duì	那个
nàge	种
yíng	对

4. Answer the questions according to the pictures.

(1) 上 个 星 期 六 安 妮
shàng ge xīng qī liù ān nī

做 什 么 了?
zuò shén me le

上 个 星 期 六 安 妮
shàng ge xīng qī liù ān nī

听 音 乐 会 了。
tīng yīn yuè huì le

(2)

昨 天 晚 上 王 老 师
zuó tiān wǎn shang wáng lǎo shī

做 什 么 了?
zuò shén me le

_____

_____

(3) 去 年 暑 假 李 大 龙
qù nián shǔ jià lǐ dà lóng

做 什 么 了?
zuò shén me le

_____

_____

(4)

前 天 晚 上 八 点 马
qián tiān wǎn shang bā diǎn mǎ

明 做 什 么 了?
míng zuò shén me le

_____

_____

5. Complete the conversation with the words in the box.

(1)

一般	跟	怎么样	觉得
yìbān	gēn	zěn me yàng	juéde

A: 你 _____ 昨 天 下 午
　　nǐ　　　　　　　zuó tiān xià wǔ

　　的 比 赛 _____ ?
　　de bǐ sài

B: 什 么 比 赛 ?
　　shén me bǐ sài

A: 美 国 队 _____ 中 国 队
　　měi guó duì　　　zhōng guó duì

　　的 篮 球 比 赛 。
　　de lán qiú bǐ sài

B: 我 觉 得 _____ 。
　　wǒ jué de

(2)

怎么样	了	觉得	个
zěn me yàng	le	juéde	gè

A: 上 _____ 周 末 你 做 什
　　shàng　　　zhōu mò nǐ zuò shén

　　么 了 ?
　　me le

B: 我 去 看 电 影 _____ 。
　　wǒ qù kàn diàn yǐng

A: 电 影 _____ ?
　　diàn yǐng

B: 我 _____ 很 不 错 。
　　wǒ　　　　　　hěn bú cuò

6. Translate the following sentences into English.

(1) 昨　天　的　比　赛　怎　么　样?
zuó tiān de bǐ sài zěn me yàng

How was yesterday's match?

(2) 昨　天　的　比　赛　哪　个　队　赢　了?
zuó tiān de bǐ sài nǎ ge duì yíng le

_____

(3) 上　个　星　期　六　我　去　听　音　乐　会　了。
shàng ge xīng qī liù wǒ qù tīng yīn yuè huì le

_____

(4) 马　明　觉　得　这　个　足　球　队　很　一　般。
mǎ míng jué de zhè ge zú qiú duì hěn yì bān

_____

7. Writing.

Hints: Describe a football match or a concert etc., and give your comments on it.

Key words: 上　个　　觉　得　　一　般　　队　　比　赛　　赢　　足　球
　　　　　shàngge　juéde　yìbān　duì　bǐ sài　yíng　zú qiú

_____

_____

_____

_____

_____

_____

_____

_____

8. Exercises on Chinese characters.

(1) Identify the components of each of the following Chinese characters.

Example ① 交→亠＋父

旁→　　　　　空→　　　　　觉→　　　　　足→

② 种→禾＋中

很→　　　　　响→　　　　　队→　　　　　流→

(2) Combine the following grouped components into Chinese characters.

Example 口＋玉→国

匕＋匕→　　　　　亻＋惠→　　　　　舟＋殳→

亻＋圭＋丁→　　　　　亡＋口＋月＋贝＋凡→

(3) Copy the Chinese characters by following the stroke order.

bā	巴	巴	巴	巴	巴					
bǐ	比	比	比	比	比					
zhǒng	种	种	种	种	种	种	种	种	种	种
xiǎng	响	响	响	响	响	响	响	响	响	响
dé	德	德	德	德	德	德	德	德	德	德
		德	德	德	德	德	德			
yíng	赢	赢	赢	赢	赢	赢	赢	赢	赢	赢
		赢	赢	赢	赢	赢	赢	赢	赢	

7 给你一张电影票
gěi nǐ yì zhāng diàn yǐng piào

1. **Choose the corresponding translation for each word.**

> a 可惜　　b 电影　　c 票　　　d 有意思
> e 空儿　　f 迷　　　g 比赛　　h 音乐

(1) movie _____b_____   (2) freetime _____

(3) pitiable _____   (4) interesting _____

(5) fan _____   (6) ticket _____

(7) music _____   (8) competition _____

2. **Combine the characters in the box into words and then write them in *Pinyin*.**

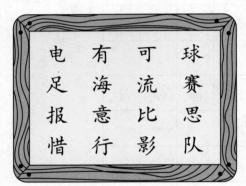

> 电　有　可　球
> 足　海　流　赛
> 报　意　比　思
> 惜　行　影　队

(1) <u>电影 diànyǐng</u>   (2) _____

(3) _____   (4) _____

(5) _____   (6) _____

(7) _____

3. **Fill in the blanks according to the pictures.**

(1) （电　影）迷
　　diàn yǐng　mí

(2) （　　　　）迷
　　　　　　　mí

(3) （　　　　）迷
　　　　　　　mí

(4) （　　　　）迷
　　　　　　　mí

(5) （　　　　）迷
　　　　　　　mí

(6) （　　　　）迷
　　　　　　　mí
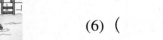

4. Complete the following sentences according to the pictures.

(1) 放 暑 假 了, 王 小 雨
fàng shǔ jià le wáng xiǎo yǔ

要 去 旅 游。
yào qù lǚ yóu

(2) 现 在 是 八 点 半, 李
xiàn zài shì bā diǎn bàn lǐ

小 龙 _____。
xiǎo lóng

(3) 时 间 不 早 了, 安 妮
shí jiān bù zǎo le ān nī

的 妈 妈 _____
de mā ma

_____。

(4) 快 十 一 点 了, 小 雨
kuài shí yī diǎn le xiǎo yǔ

的 妹 妹 _____
de mèi mei

_____。

5. Complete the conversation with the words in the box.

> 去 了 可惜 太 非常 不
> qù le kěxī tài fēicháng bù

A: 小 雨, 昨 天 晚 上 你 去 干 什 么 _____?
xiǎo yǔ zuó tiān wǎn shang nǐ qù gàn shén me

B: 我 _____ 听 音 乐 会 了。
wǒ tīng yīn yuè huì le

A: 怎 么 样? 有 意 思 吗?
zěn me yàng yǒu yì si ma

B: 是 的, _____ 有 意 思。
shì de yǒu yì si

A: 那 太 _____ 了, 我 没 听 过。
nà tài le wǒ méi tīng guo

B: 你 想 _____ 想 去? 我 还 有 票。
nǐ xiǎng xiǎng qù wǒ hái yǒu piào

A: _____ 好 _____! 谢 谢 你。
hǎo xiè xie nǐ

6. Translate the following sentences into English.

(1) 昨 天 的 足 球 比 赛 太 好 了。
zuó tiān de zú qiú bǐ sài tài hǎo le

Yesterday's football match was fabulous.

(2) 这 本 书 太 有 意 思 了。
zhè běn shū tài yǒu yì si le

_____

(3) 杰 克 打 算 给 安 妮 一 张 音 乐 会 的 票。
jié kè dǎ suàn gěi ān nī yì zhāng yīn yuè huì de piào

_____

(4) 刘 老 师 没 去 听 音 乐 会，太 可 惜 了。
　　liú lǎo shī méi qù tīng yīn yuè huì tài kě xi le

7. Writing: Describe what happens in the pictures.

Key words: 电 影　海 报　好 看　有 意 思　有 空 儿
　　　　　diànyǐng　hǎibào　hǎokàn　yǒuyìsi　yǒukòngr

8. Exercises on Chinese characters.

(1) Identify the components of each of the following Chinese characters.

Example ① 票→西＋示

空→　　　　　　赛→　　　　　　音→

② 做→亻＋古＋攵

哪→　　　　　　谢→　　　　　　班→

(2) Combine the following grouped components into Chinese characters.

Example 纟＋合→给

才＋反→　　　　忄＋昔→　　　　立＋日＋心→　　　　田＋心→

(3) Copy the Chinese characters by following the stroke order.

diàn 电	电	电	电	电	电						
mí 迷	迷	迷	迷	迷	迷	迷	迷	迷	迷		
hǎi 海	海	海	海	海	海	海	海	海	海		
xī 惜	惜	惜	惜	惜	惜	惜	惜	惜	惜	惜	惜
piào 票	票	票	票	票	票	票	票	票	票	票	票
yì 意	意	意	意	意	意	意	意	意	意	意	意	意

8 你的爱好是什么

nǐ de ài hào shì shén me

1. Choose the corresponding translation for each word.

> a 已经   b 爱好   c 结束   d 这儿
> e 电视   f 总是   g 贵   h 可惜

(1) always _____f_____   (2) TV _____

(3) already _____   (4) end _____

(5) here _____   (6) hobby _____

(7) pitiable _____   (8) expensive _____

2. Choose the correct *Pinyin* for each word.

> zǒngshi   参加
>
> guì   便宜
>
> cānjiā   舞会
>
> wǔhuì   总是
>
> piányi   贵
>
> jiéshù   爱好
>
> àihào   结束

3. Combine the characters in the box into words and then write them in *Pinyin*.

> 已 舞 园 视
> 怎 上 语 么
> 英 电 爱 会
> 好 课 经 校

(1) _已经 yǐjīng_   (2) _____

(3) _____   (4) _____

(5) _____   (6) _____

(7) _____   (8) _____

4. Complete the following sentences according to the pictures.

(1)

电 影 已 经 结 束 了。
diàn yǐng yǐ jīng jié shù le

(2)

_____

(3)

_____

(4)

_____

5. Complete the conversation with the words in the box.

(1)

到	已经	参加	从	了
dào	yǐjīng	cānjiā	cóng	le

A: 你 来 这 儿 做 什 么?
   nǐ lái zhèr zuò shén me

B: 我 来 _____ 舞 会
   wǒ lái   wǔ huì

A: 对 不 起,舞 会 _____ 结 束 了。
   duì bu qǐ wǔ huì   jié shù le

B: 舞 会 _____ 几 点 到 几 点?
   wǔ huì   jǐ diǎn dào jǐ diǎn

A: 从 7 点 _____ 9 点。现 在 _____ 9 点 半 ____。
   cóng qī diǎn   jiǔ diǎn xiàn zài   jiǔ diǎn bàn

(2)

一起	从	到	有	爱好
yì qǐ	cóng	dào	yǒu	àihào

A: 你 有 什 么 ＿＿＿＿＿？
　　nǐ　yǒu shén me

B: 我 喜 欢 听 音 乐 会。
　　wǒ　xǐ huan tīng yīn yuè huì

A: 周 末 我 们 ＿＿＿＿ 去 吧。
　　zhōu mò wǒ men 　　　　qù ba

B: 音 乐 会 从 几 点 ＿＿＿ 几 点?
　　yīn yuè huì cóng jǐ diǎn 　　jǐ diǎn

A: ＿＿＿ 10 点 到 12 点。
　　shí diǎn dào shí'èr diǎn

B: 不 行, 那 时 候 我 ＿＿＿ 别 的 事。
　　bù xíng nà shí hou wǒ 　　bié de shì

6. Translate the following sentences into English.

(1) 电 影 已 经 结 束 了。
diàn yǐng yǐ jīng jié shù le

The film was over.

(2) 生 日 舞 会 是 从 晚 上 8 点 到 9 点。
shēng rì wǔ huì shì cóng wǎn shang bā diǎn dào jiǔ diǎn

＿＿＿＿＿＿＿＿＿＿＿＿＿＿＿＿＿＿＿＿＿

(3) 从 夏 天 到 冬 天, 安 妮 都 在 学 法 语。
cóng xià tiān dào dōng tiān ān nī dōu zài xué fǎ yǔ

＿＿＿＿＿＿＿＿＿＿＿＿＿＿＿＿＿＿＿＿＿

(4) 王 老 师 没 有 去 听 音 乐 会, 真 的 太 可 惜 了。
wáng lǎo shī méi yǒu qù tīng yīn yuè huì zhēn de tài kě xī le

＿＿＿＿＿＿＿＿＿＿＿＿＿＿＿＿＿＿＿＿＿

7. Writing.

Hints: Answer the following questions and then make a paragraph.

Questions: What hobbies do you and your friends have? Do you and your friends often go out?

At what times? Are these activities expensive?

Key words: 爱好　贵　便宜　总是　从……到……　结束
àihào　guì　piányi　zǒngshì　cóng　dào　jiéshù

8. Exercises on Chinese characters.

(1) Identify the components of each of the following Chinese characters.

Example ① 加→力＋口

便→   经→   结→   视→

② 宜→宀＋且

贵→   觉→   音→   点→

(2) Combine the following grouped components into Chinese characters.

Example 王＋求→球

虫＋贝→   亻＋更→   文＋辶→   氵＋每→

(3) Copy the Chinese characters by following the stroke order.

yǐ	已	已 已 已												
shù	束	束 束 束 束 束 束 束												
yí	宜	宜 宜 宜 宜 宜 宜 宜 宜												
pián	便	便 便 便 便 便 便 便 便												
guì	贵	贵 贵 贵 贵 贵 贵 贵 贵 贵												
wǔ	舞	舞 舞 舞 舞 舞 舞 舞 舞 舞 舞 舞 舞 舞 舞												

9 比赛就要开始了
bǐ sài jiù yào kāi shǐ le

1. **Choose the corresponding translation for each word.**

> a 准备　　b 开始　　c 看见　　d 一些
> e 运动员　f 快　　　g 队　　　h 流行

(1) begin _____b_____ (2) quickly _____

(3) athlete _____ (4) prepare _____

(5) some _____ (6) see _____

(7) popular _____ (8) team _____

2. **Choose the correct *Pinyin* for each word.**

kàn dào	快
yìdiǎn	看见
yìxiē	开始
kuài	一点
kāishǐ	慢
kànjiàn	看到
màn	一些

3. **Choose an antonym for each given word from the box.**

> 结束　　来　　小　　北　　慢　　上边　　左边　　黑色
> jiéshù　lái　xiǎo　běi　màn　shàngbian　zuǒbian　hēisè

(1) kuài 快 ___màn 慢___ (2) dà 大 _____

(3) kāishǐ 开始 _____ (4) xiàbian 下边 _____

(5) yòubian 右边 _____ (6) nán 南 _____

(7) qù 去 _____ (8) báisè 白色 _____

4. Complete the following sentences according to the pictures.

(1)

篮　球　比　赛　<u>就</u>　<u>要</u>　开
lán　qiú　bǐ　sài　jiù　yào　kāi

始　<u>了</u>。
shǐ　le

(2)

音　乐　会＿＿＿＿＿＿
yīn　yuè　huì

结　束＿＿＿＿。
jié　shù

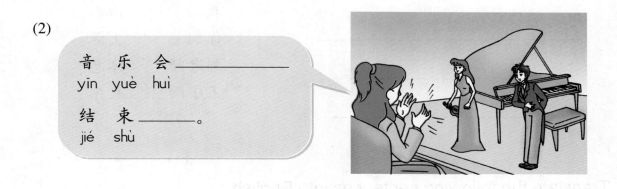

(3)

春　天＿＿＿＿＿＿
chūn　tiān

来＿＿＿＿。
lái

(4)

学　生　们＿＿＿＿＿＿
xué　sheng　men

回　家＿＿＿＿。
huí　jiā

5. Make up sentences with the words in the box as the example.

(1) 比　赛　就　要　开　始　了。
　　 bǐ　sài　jiù　yào　kāi　shǐ　le

_____

_____

_____

比赛	开始
舞会	结束
秋天	来
圣诞节	到

(2) 我　们　快　回　家　吧!
　　 wǒ　men　kuài　huí　jiā　ba

_____

_____

我们	回家
你们	上课
刘老师	休息
王小雨	起床

6. Translate the following sentences into English.

(1) 马　明　请　杰　克　喝　咖　啡。
　　 mǎ　míng　qǐng　jié　kè　hē　kā　fēi
　　 Ma Ming treats Jack to some coffee.

(2) 我　请　你　看　电　影，好　吗?
　　 wǒ　qǐng　nǐ　kàn　diàn　yǐng　hǎo　ma

_____

(3) 我　们　快　去　吧!
　　 wǒ　men　kuài　qù　ba

_____

(4) 就　要　下　雨　了，快　回　家　吧!
　　 jiù　yào　xià　yǔ　le　kuài　huí　jiā　ba

_____

7. **Writing: Describe what happens in the pictures.**

Key words: 就要……了　冷　冬天　月　快……吧　衣服　穿
jiùyào　le　lěng　dōngtiān　yuè　kuài　ba　yī fu　chuān

8. **Exercises on Chinese characters.**

(1) Identify the components of each of the following Chinese characters.

Example　① 场→土＋勿

请→　　　　　　慢→　　　　　　矿→　　　　　　流→

② 看→手＋目

员→　　　　　　黑→　　　　　　泉→　　　　　　春→

(2) Combine the following grouped components into Chinese characters.

Example　夂＋田→备

冫＋隹→　　　　　　　　此＋二→　　　　　　　　京＋尤→

(3) Copy the Chinese characters by following the stroke order.

yùn	运	运	运	运	运	运	运	运			
xiē	些	些	些	些	些	些	些	些	些		
kuàng	矿	矿	矿	矿	矿	矿	矿	矿	矿		
bèi	备	备	备	备	备	备	备	备	备		
quán	泉	泉	泉	泉	泉	泉	泉	泉	泉	泉	
qǐng	请	请	请	请	请	请	请	请	请	请	

10 我 的 新 朋 友
wǒ de xīn péng you

1. Combine the characters in the box into words and then write them in *Pinyin*.

开	体	况	成
爱	会	条	好
参	育	学	情
件	员	立	加

(1) 开学 kāixué   (2) _____

(3) _____   (4) _____

(5) _____   (6) _____

(7) _____   (8) _____

2. Translate.

(1) wénxué 文学   literature   (2) gàosu 告诉 _____

(3) fēi 飞 _____   (4) huábǎn 滑板 _____

(5) chénglì 成立 _____   (6) tǐyù 体育 _____

(7) jùlèbù 俱乐部 _____   (8) àihàozhě 爱好者 _____

3. Match the words in the left column and the ones in the right to form new phrases.

kàn	看		diànshì	电视
yǒu	有		fàncài	饭菜
cānjiā	参加		yìsi	意思
zhǔnbèi	准备		xuéxí	学习
kāishǐ	开始		yùndònghuì	运动会

4. Fill in the blanks with the proper words.

了	迷	要	太……了	情 况	都	已 经	告 诉	从	到
le	mí	yào	tài le	qíng kuàng	dōu	yǐ jīng	gào su	cóng	dào

(1) 昨 晚 的 舞 会 是 _____ 7 点 _____ 8 点 半。
zuó wǎn de wǔ huì shì   qī diǎn   bā diǎn bàn

(2) 爸 爸 回 来 的 时 候，我 们 _____ 吃 完 晚 饭
bà ba huí lái de shí hou wǒ men   chī wán wǎn fàn
了。
le

(3) 巴 西 队 和 德 国 队 的 足 球 比 赛 _____ 好 看
bā xī duì hé dé guó duì de zú qiú bǐ sài   hǎo kàn
_____。

(4) 安 静 一 点 儿 好 吗? 音 乐 会 就 _____ 开 始 _____。
ān jìng yì diǎnr hǎo ma yīn yuè huì jiù   kāi shǐ

(5) 安 妮 和 她 妹 妹 _____ 是 音 乐 _____。
ān nī hé tā mèi mei   shì yīn yuè

(6) 我 的 朋 友 _____ 了 我 他 那 里 的 _____。
wǒ de péng you   le wǒ tā nà li de

5. Translate the following sentences into English.

(1) 开 学 已 经 一 个 月 了。
kāi xué yǐ jīng yí ge yuè le
School started a month ago.

(2) 马 明 也 是 一 个 电 影 迷。
mǎ míng yě shì yí ge diàn yǐng mí
_____

52

(3) 李 大 龙 爱 好 体 育，也 爱 好 文 学。
　　lǐ　dà　lóng　ài　hào　tǐ　yù　yě　ài　hào　wén　xué

_____

(4) 你 那 里 的 情 况 怎 么 样？
　　nǐ　nà　li　de　qíng　kuàng　zěn　me　yàng

_____

6. Writing.

Hints: Write a poster about a match, a birthday party or the establishment of a club etc.

Key words: 成 立　　欢 迎　　参 加　　爱 好 者　　会 员　　条 件
　　　　　　chénglì　　huānyíng　　cānjiā　　àihàozhě　　huì yuán　　tiáojiàn

7. Find the *Pinyin* hidden in the box and then write down the corresponding Chinese characters.

b	P	u	h	zh	e	c	f	i
ǐ	s	à	i	q	w	h	b	j
r	f	t	d	í	q	a	p	m
q	z	j	ī	n	t	i	ā	n
b	ch	i	f	g	à	o	s	ù
n	y	é	d	k	g	j	u	p
x	l	sh	t	u	h	n	b	t
y	k	ù	d	à	i	h	à	o
ù	n	b	b	n	m	j	b	t
n	d	ò	n	g	w	r	a	f
w	q	r	sh	y	j	s	u	o

(1) ___bǐsài 比赛___   (2) _____

(3) _____   (4) _____

(5) _____   (6) _____

(7) _____   (8) _____

8. Exercises on Chinese characters.

(1) Identify the components of each of the following Chinese characters.

Example ① 新→亲＋斤

妹→   部→   俱→   副→

② 育→云＋月

告→   要→   安→   完→

(2) Combine the following grouped components into Chinese characters.

Example 　亻＋牛→件

木＋反→　　　　氵＋骨→　　　　讠＋斤→　　　　一＋口＋田＋刂→

(3) Copy the Chinese characters by following the stroke order.

chéng	成	成	成	成	成	成	成					
yuán	员	员	员	员	员	员	员					
zhě	者	者	者	者	者	者	者	者				
yù	育	育	育	育	育	育	育	育				
jù	俱	俱	俱	俱	俱	俱	俱	俱	俱	俱		
fù	副	副	副	副	副	副	副	副	副	副	副	副

Unit Three

A Caring Family

 11 你 在 干 什 么
nǐ   zài gàn shén me

1. Combine the characters in the box into words and then write them in *Pinyin*.

电	资	手	需
上	围	开	聊
要	始	脑	巾
天	套	网	料

(1) ___电脑 diànnǎo___   (2) _____

(3) _____   (4) _____

(5) _____   (6) _____

(7) _____   (8) _____

2. Complete the phrases with the words from the text.

(1) diū 丢   ___shǒutào 手套___   (2) sòng 送   _____

(3) zhǎo 找   _____   (4) shàng 上   _____

(5) yòng 用   _____   (6) jì 寄   _____

(7) zhèngzài 正在   _____   (8) xūyào 需要   _____

3. Choose the corresponding translation for each word.

1 computer	2 to chat	3 to surf on the internet	4 first
5 scarf	6 glove	7 data	8 to lose

(1) xiān 先   _____4_____   (2) diū 丢   _____

(3) zīliào 资料   _____   (4) liáotiān 聊天   _____

(5) diànnǎo 电脑 _____   (6) shàngwǎng 上网 _____

(7) shǒutào 手套 _____   (8) wéijīn 围巾 _____

4. Answer the following questions according to the pictures.

(1)

他 们 在 干 什 么?
tā men zài gàn shén me

他 们 在 踢 足 球。
tā men zài tī zú qiú

(2)

李 大 龙 在 干 什 么?
lǐ dà lóng zài gàn shén me

_____

(3)

安 妮 的 妈 妈 在 做
ān nī de mā ma zài zuò

什 么?
shén me

_____

(4)

刘 老 师 在 做 什 么?
liú lǎo shī zài zuò shén me

_____

5. Complete the conversation with the words in the box.

> 先 了 给 干 在 和 要
> xiān le gěi gàn zài hé yào

A: 小 雨, 你 在 _____ 什 么?
xiǎo yǔ nǐ zài shén me

B: 我 _____ 上 网。
wǒ shàngwǎng

A: 你 在 _____ 朋 友 聊 天 吗?
nǐ zài péng you liáo tiān ma

B: 不 是, 我 在 网 上 购 物。我 要 送 _____ 我 妈 妈
bú shi wǒ zài wǎngshang gòu wù wǒ yào sòng wǒ mā ma

一 件 礼 物。
yí jiàn lǐ wù

A: 我 明 白 了, 节 日 就 要 到 _____。
wǒ míng bai le jié rì jiù yào dào

B: 你 _____ 用 电 脑 吗?
nǐ yòng diàn nǎo ma

A: 你 _____ 用 吧, 我 等 一 会 儿 再 用。
nǐ yòng ba wǒ děng yí huìr zài yòng

6. Translate the following sentences into English.

(1) 李 大 龙 正 在 上 网。
lǐ dà lóng zhèng zài shàngwǎng

Li Dalong is surfing on the internet.

(2) 林 老 师 在 找 资 料。
lín lǎo shī zài zhǎo zī liào

_____

(3) 马 明 送 给 我 一 张 贺 卡。
mǎ míng sòng gěi wǒ yì zhāng hè kǎ

_____

(4) 她 正 在 看 妈 妈 送 给 她 的 礼 物。
tā zhèng zài kàn mā ma sòng gěi tā de lǐ wù

_____

7. Writing.

Hints: Answer the following questions and then make a paragraph.

Questions: Do you often log onto the internet? What do you usually do on line? Do you like surfing on line? Why or why not?

Key words: 电脑　　上　网　　聊　天　　资料　　常　常　　喜欢
diànnǎo　shàngwǎng　liáotiān　zīliào　chángcháng　xǐhuan

8. Exercises on Chinese characters.

(1) Identify the components of each of the following Chinese characters.

> Example ① 破→石＋皮

脑→　　　　　踢→　　　　　料→　　　　　聊→

> ② 围→口＋韦

国→　　　　　网→　　　　　图→　　　　　因→

(2) Combine the following grouped components into Chinese characters.

> Example 丨＋日→旧

次＋贝→　　　　　加＋贝→　　　　　耳＋卯→　　　　　大＋丢→

(3) Copy the Chinese characters by following the stroke order.

diū	丢	丢	丢	丢	丢	丢	丢									
xiān	先	先	先	先	先	先	先									
wéi	围	围	围	围	围	围	围	围								
zī	资	资	资	资	资	资	资	资	资	资						
liáo	聊	聊	聊	聊	聊	聊	聊	聊	聊	聊	聊					
xū	需	需	需	需	需	需	需	需	需	需	需	需	需	需	需	

12 祝你节日快乐
zhù nǐ jié rì kuài lè

1. Combine the characters in the box into words and then write them in *Pinyin*.

希	迎	场	洗
火	留	澡	站
一	广	望	会
儿	车	言	接

(1) 希望 xīwàng   (2) _____

(3) _____   (4) _____

(5) _____   (6) _____

(7) _____

2. Choose the correct *Pinyin* for each word.

hé	迎接
zhī	和
zhōngshēng	广场
yíngjiē	公共
gōnggòng	支
guǎngchǎng	钟声

3. Translate.

(1) xīwàng 希望 _____hope_____   (2) yíngjiē 迎接 _____

(3) dìdiǎn 地点 _____   (4) guǎngchǎng 广场 _____

(5) xǐzǎo 洗澡 _____   (6) kuàilè 快乐 _____

(7) gōnggòngqìchē 公共汽车 _____

(8) huǒchēzhàn 火车站 _____

4. Answer the following questions according to the pictures.

(1) 妈 妈 让 玛 丽 做 什 么?
mā ma ràng mǎ lì zuò shén me

妈 妈 让 玛 丽 睡 觉。
mā ma ràng mǎ lì shuì jiào

(2)

老 师 让 小 雨 做 什 么?
lǎo shī ràng xiǎo yǔ zuò shén me

_____

(3) 教 练 让 李 大 龙 做 什
jiào liàn ràng lǐ dà lóng zuò shén

么?
me

_____

(4)

杰 克 的 朋 友 让 他 做
jié kè de péng you ràng tā zuò

什 么?
shén me

_____

5. Make up sentences with the words in the box as the example.

(1) 爸　爸　让　我　学　开　车。
　　bà　ba　ràng　wǒ　xué　kāi　chē

_____

_____

_____

爸爸	我	学开车
老师	学生们	上课
朋友	我	看光盘
哥哥	弟弟	学汉语

(2) 她　和　大　龙　一　起　看　电　影。
　　tā　hé　dà　lóng　yì　qǐ　kàn　diàn　yǐng

_____

_____

她	大龙	看电影
我	朋友们	过生日
妈妈	妹妹	做饭
爷爷	奶奶	买东西

6. Translate the following sentences into English.

(1) 祝　你　圣　诞　节　快　乐！
　　zhù　nǐ　shèng　dàn　jié　kuài　lè
Wish you a merry Christmas!

_____

(2) 祝　你　春　节　快　乐！
　　zhù　nǐ　chūn　jié　kuài　lè

_____

(3) 杰　克　祝　安　妮　圣　诞　节　快　乐！
　　jié　kè　zhù　ān　nī　shèng　dàn　jié　kuài　lè

_____

(4) 李　大　龙　祝　王　家　明　春　节　快　乐！
　　lǐ　dà　lóng　zhù　wáng　jiā　míng　chūn　jié　kuài　lè

_____

7. Writing: Write a note of message.

Key words: 迎接   地点   广 场   火 车 站   打 电 话
yíng jiē   dì diǎn   guǎngchǎng   huǒ chē zhàn   dǎ diànhuà

64

8. Exercises on Chinese characters.

(1) Identify the components of each of the following Chinese characters.

　Example　① 洗→氵＋先

汽→　　　　　　接→　　　　　　钟→　　　　　　快→

　　　　　② 迎→卬＋辶

过→　　　　　　这→　　　　　　选→　　　　　　边→

(2) Combine the following grouped components into Chinese characters.

　Example　木＋目＋心→想

亡＋月＋王→　　　扌＋立＋女→　　　亠＋月＋刂→　　　氵＋品＋木→

(3) Copy the Chinese characters by following the stroke order.

zài	再	再 再 再 再 再 再			
chǎng	场	场 场 场 场 场 场			
yíng	迎	迎 迎 迎 迎 迎 迎 迎			
zhōng	钟	钟 钟 钟 钟 钟 钟 钟 钟			
liú	留	留 留 留 留 留 留 留 留 留 留			
jiē	接	接 接 接 接 接 接 接 接 接 接			

13 我想当律师
wǒ xiǎng dāng lǜ shī

1. Choose the corresponding translation for each word.

1 to divorce	2 to have a try	3 railroad station
4 with	5 to work as	6 future
7 square	8 parents' meeting	

(1) dāng 当 _____5_____   (2) hé 和 _____

(3) jiānglái 将来 _____   (4) líhūn 离婚 _____

(5) shìshi 试试 _____   (6) guǎngchǎng 广场 _____

(7) huǒchēzhàn 火车站 _____   (8) jiāzhǎnghuì 家长会 _____

2. Combine the characters in the box into words and then write them in *Pinyin*.

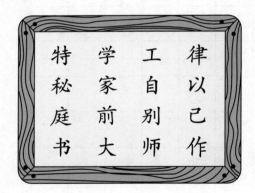

特	学	工	律
秘	家	自	以
庭	前	别	己
书	大	师	作

(1) _特别 tèbié_   (2) _____

(3) _____   (4) _____

(5) _____   (6) _____

(7) _____   (8) _____

3. Translate.

(1) mìshū 秘书 ___secretary___   (2) gōngzuò 工作 _____

(3) dàxué 大学 _____   (4) tèbié 特别 _____

(5) zhàopiàn 照片 _____   (6) yǐqián 以前 _____

(7) zìjǐ 自己 _____   (8) jiāzhǎng 家长 _____

4. Fill in the blanks with the proper words.

> 现在　　以前　　没关系　　对不起
> xiànzài　yǐqián　méiguānxi　duìbuqǐ

(1) 安妮 的 爸爸 以前 是 老师，＿＿＿＿＿＿＿ 是 律师。
　　ān　nī　de　bà　ba　yǐ　qián　shì　lǎo　shī　　　　　　shì　lǜ　shī

(2) 我 ＿＿＿＿＿＿＿ 不 喜 欢 打 篮 球，可 是 ＿＿＿＿＿＿＿ 喜
　　wǒ　　　　　　　bù　xǐ　huan　dǎ　lán　qiú　kě　shi　　　　　xǐ

欢 了。
huan　le

(3) A: 对 不 起，我 来 晚 了。
　　　　duì　bu　qǐ　wǒ　lái　wǎn　le

B: ＿＿＿＿＿＿＿，我 们 还 有 时 间。
　　　　　　　　　wǒ　men　hái　yǒu　shí　jiān

(4) A: ＿＿＿＿＿＿＿，我 妈 妈 不 能 来 参 加 家 长 会 了。
　　　　　　　　　wǒ　mā　ma　bù　néng　lái　cān　jiā　jiā　zhǎng　huì　le

B: 没 关 系，我 知 道 她 很 忙。
　　méi　guān　xi　wǒ　zhī　dào　tā　hěn　máng

5. Answer the following questions according to the pictures.

(1) 你 爸 爸 现 在 干 什 么
　　nǐ　bà　ba　xiàn　zài　gàn　shén　me

工 作?
gōng　zuò

<u>我 爸 爸 现 在 做 研 究</u>
　wǒ　bà　ba　xiàn　zài　zuò　yán　jiū

<u>工 作。</u>
　gōng　zuò

(2) 安　妮　的　爸　爸　以　前　做
　　 ān　 nī　 de　 bà　 ba　 yǐ　 qián　 zuò

　　什　么　工　作？
　　shén　 me　 gōng　 zuò

_____

(3) 王　小　雨　的　妈　妈　现　在
　　 wáng　 xiǎo　 yǔ　 de　 mā　 ma　 xiàn　 zài

　　做　什　么　工　作？
　　zuò　 shén　 me　 gōng　 zuò

_____

(4) 安　妮　的　姐　姐　以　前　做
　　 ān　 nī　 de　 jiě　 jie　 yǐ　 qián　 zuò

　　什　么　工　作？
　　shén　 me　 gōng　 zuò

_____

6.　Translate the following sentences into English.

(1) 对　不　起，我　来　晚　了。
　　 duì　 bu　 qǐ　 wǒ　 lái　 wǎn　 le

I'm sorry for being late.
_____

(2) 谁　来　介　绍　一　下　自　已　的　家　庭？
　　 shuí　 lái　 jiè　 shào　 yí　 xià　 zì　 jǐ　 de　 jiā　 tíng

_____

(3) 她 的 爸 爸 跟 她 的 妈 妈 离 婚 了。
tā de bà ba gēn tā de mā ma lí hūn le

_____

(4) 安 妮 将 来 想 当 医 生。
ān nī jiāng lái xiǎng dāng yī shēng

_____

7. Writing.

Hints: Answer the following questions and then make a paragraph.

Questions: What kind of jobs are you interested in? Why? What kind of occupation are you going to pursue in the future?

Key words:	工 作	打 算	当	想	研 究	大 学	将 来
	gōngzuò	dǎsuàn	dāng	xiǎng	yánjiū	dàxué	jiānglái

8. Exercises on Chinese characters.

(1) Identify the components of each of the following Chinese characters.

Example   ① 究→穴＋九

留→   告→   有→   庭→

      ② 试→讠＋式

所→   研→   律→   特→

(2) Combine the following grouped components into Chinese characters.

Example   丬＋夕＋寸→将

彳＋聿→   牛＋土＋寸→   禾＋必→   女＋氏＋日→

(3) Copy the Chinese characters by following the stroke order.

piàn	片	片	片	片	片						
shū	书	书	书	书	书						
lǜ	律	律	律	律	律	律	律	律	律	律	
lí	离	离	离	离	离	离	离	离	离	离	
mì	秘	秘	秘	秘	秘	秘	秘	秘	秘	秘	秘
tè	特	特	特	特	特	特	特	特	特	特	特

14　我 们 应 该 庆 祝 一 下
wǒ men yīng gāi qìng zhù yí xià

1. Combine the characters in the box into words and then write them in *Pinyin*.

应	建	小	主
出	特	晚	钓
意	鱼	时	别
会	议	发	该

(1) 应该 yīnggāi　　(2) _____

(3) _____　　(4) _____

(5) _____　　(6) _____

(7) _____　　(8) _____

2. Choose the correct *Pinyin* for each word.

wàng	请进
diào yú	庆祝
kāi	玩
qǐng jìn	钓鱼
qìngzhù	开
wán	忘

3. Translate.

(1) chūfā 出发　____to set out____　(2) wàng 忘　_____

(3) zhǔyì 主意　_____　(4) diào yú 钓鱼　_____

(5) xiǎoshí 小时　_____　(6) wǎnhuì 晚会　_____

(7) qìngzhù 庆祝　_____　(8) jiànyì 建议　_____

4. Complete the following sentences with the given words according to the pictures.

应该　　还
yīnggāi　hái

(1) 已　经　十　一　点　半　了，
yǐ　jīng　shí　yī　diǎn　bàn　le

刘　老　师 _____。
liú　lǎo　shī

(2)

天　快　黑　了，爷　爷
tiān　kuài　hēi　le　yé　ye

_____。

(3) 已　经　十　点　多　了，
yǐ　jīng　shí　diǎn　duō　le

安　妮　的　妹　妹
ān　nī　de　mèi　mei

_____。

(4)

今　天　是　周　末，但　是　他
jīn　tiān　shì　zhōu　mò　dàn　shì　tā

的　哥　哥 _____。
de　gē　ge

5. Complete the conversation with the words in the box.

吧	还	几	打算	应该	出发
ba	hái	jǐ	dǎ suàn	yīng gāi	chū fā

A: 今 天 星 期 _____?
   jīn tiān xīng qī

B: 星 期 六。你 有 什 么 _____ 吗?
   xīng qī liù nǐ yǒu shén me   ma

A: 天 气 这 么 好, 我 们 _____ 去 爬 山。
   tiān qì zhè me hǎo wǒ men   qù pá shān

B: 对。我 们 什 么 时 候 _____?
   duì wǒ men shén me shí hou

A: 九 点 半。你 弟 弟 呢?
   jiǔ diǎn bàn nǐ dì di ne

B: 糟 糕, 他 _____ 在 睡 觉。
   zāo gāo tā   zài shuì jiào

A: 快 去 叫 他 _____!
   kuài qù jiào tā

6. Translate the following sentences into English.

(1) 现 在 已 经 8 点 了, 小 龙 还 在 睡 觉。
    xiàn zài yǐ jīng bā diǎn le xiǎo lóng hái zài shuì jiào
    It's already 8 o'clock, but Xiaolong is still sleeping.

(2) 已 经 快 到 中 午 了, 还 在 下 雨。
    yǐ jīng kuài dào zhōng wǔ le hái zài xià yǔ
    _____

(3) 你 最 近 身 体 不 太 好, 应 该 多 休 息。
    nǐ zuì jìn shēn tǐ bú tài hǎo yīng gāi duō xiū xi
    _____

73

(4) 明　天　是　朋　友　的　生　日，我　应　该　给　他　买　一　件
　　míng tiān shì péng you de shēng rì　wǒ yīng gāi gěi tā mǎi yí jiàn

礼　物。
lǐ　wù

7. Writing.

Hints: **Describe one of your outdoor activities, such as a picnic, a hiking, a boattrip etc.**

Key words: 主意　　建议　　出发　　小时　　忘
　　　　　　zhǔyì　　jiànyì　　chūfā　　xiǎoshí　　wàng

8. **Exercises on Chinese characters.**

(1) Identify the components of each of the following Chinese characters.

Example 进→井＋辶

建→　　　　　　还→　　　　　　应→

庆→　　　　　　祝→　　　　　　况→

(2) Combine the following grouped components into Chinese characters.

Example 聿＋廴→建

讠＋亥→　　　　讠＋义→　　　　钅＋勺→　　　　钅＋中→

(3) Copy the Chinese characters by following the stroke order.

chū	出	出	出	出	出	出				
fā	发	发	发	发	发	发				
jìn	进	进	进	进	进	进	进			
yú	鱼	鱼	鱼	鱼	鱼	鱼	鱼	鱼	鱼	
dài	带	带	带	带	带	带	带	带	带	带
zhù	祝	祝	祝	祝	祝	祝	祝	祝	祝	祝

15 一次野餐
yí   cì   yě   cān

1. Combine the characters in the box into words and then write them in *Pinyin*.

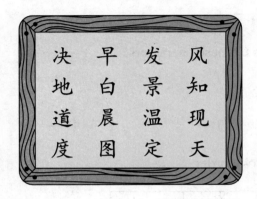

决 早 发 风
地 白 景 知
道 晨 温 现
度 图 定 天

(1) ___决定 juédìng___   (2) _____

(3) _____   (4) _____

(5) _____   (6) _____

(7) _____   (8) _____

2. Choose the correct *Pinyin* for each word.

quán jiā   暖和

wēndù   晴

yěcān   温度

nuǎnhuo   全家

yīn   野餐

qíng   阴

3. Translate.

(1) zǎochen 早晨 ___morning___   (2) zhīdào 知道 _____

(3) yīn 阴 _____   (4) qíng 晴 _____

(5) juédìng 决定 _____   (6) yěcān 野餐 _____

(7) wēndù 温度 _____   (8) báitiān 白天 _____

4. Fill the blanks with proper words to form new phrases.

(1) qíng 晴 ___tiān 天___   (2) yīn 阴 _____

(3) fāxiàn 发现 _____   (4) zhīdào 知道 _____

(5) _____ nuǎnhuo 暖和   (6) _____ dìtú 地图

(7) _____ fēngjǐng 风景   (8) _____ zhǔyì 主意

5. Decide whether the following statements are true or false (T / F).

(1) 安 妮 看 在 爷 爷 送 给 她 的 礼 物。   ___F___
ān nī kàn zài yé ye sòng gěi tā de lǐ wù

(2) 放 暑 假 以 后，我 打 算 去 旅 游。   _____
fàng shǔ jià yǐ hòu wǒ dǎ suàn qù lǚ yóu

(3) 今 天 下 午 我 要 请 朋 友 喝 茶。   _____
jīn tiān xià wǔ wǒ yào qǐng péng you hē chá

(4) 现 在 应 该 我 做 什 么 呢?   _____
xiàn zài yīng gāi wǒ zuò shén me ne

(5) 放 学 了，马 明 还 在 做 海 报。   _____
fàng xué le mǎ míng hái zài zuò hǎi bào

6. Translate the following sentences into English.

(1) 妈 妈 在 听 音 乐，姐 姐 在 看 地 图。
mā ma zài tīng yīn yuè jiě jie zài kàn dì tú

While Mum was listening to music, my sister was looking at a map.

(2) 上 个 星 期 六 天 气 很 暖 和。
shàng ge xīng qī liù tiān qì hěn nuǎn huo

_____

(3) 他 们 决 定 一 起 去 野 餐。
tā men jué dìng yī qǐ qù yě cān

_____

(4) 爷 爷 发 现 马 明 生 病 了。
yé ye fā xiàn mǎ míng shēng bìng le

_____

7. Writing.

Hints: Talk about your local weather during a particular week and your activities in such weather.

Key words: 白天　晚上　风　雨　晴　阴　温度
　　　　　　báitiān　wǎnshang　fēng　yǔ　qíng　yīn　wēndù

8. **Find the *Pinyin* hidden in the box and write down the corresponding Chinese characters.**

f	zh	a	e	t	f	e	O	q
g	y	l	ǜ	sh	ī	j	J	ì
t	p	k	s	f	q	g	A	n
r	j	l	a	f	p	ō	F	g
i	f	ā	x	i	à	n	H	zh
z	ì	j	ǐ	g	a	g	K	ù
h	k	h	h	t	sh	g	L	u
q	l	w	u	c	f	ò	E	r
y	ě	c	ā	n	g	n	A	ch
d	q	h	n	d	n	g	T	x
w	ē	n	d	ù	q	n	O	y
s	b	c	x	ch	u	m	P	z

(1) _____ fāxiàn 发现 _____   (2) _____

(3) _____   (4) _____

(5) _____   (6) _____

(7) _____   (8) _____

9. **Exercises on Chinese characters.**

(1) Identify the components of each of the following Chinese characters.

> **Example** 音→立＋日

景→   春→   星→

晨→   暑→   是→

(2) Combine the following grouped components into Chinese characters.

Example 日 ＋ 爰 → 暖

日 ＋ 月 →　　　　　　　日 ＋ 青 →　　　　　　　日 ＋ 免 →

氵 ＋ 昷 →　　　　　　　亻 ＋ 昔 →　　　　　　　忄 ＋ 昔 →

(3) Copy the Chinese characters by following the stroke order.

zhī 知	知 知 知 知 知 知 知 知									
dìng 定	定 定 定 定 定 定 定 定									
qíng 情	情 情 情 情 情 情 情 情 情 情									
yě 野	野 野 野 野 野 野 野 野 野 野 野									
wēn 温	温 温 温 温 温 温 温 温 温 温 温									
nuǎn 暖	暖 暖 暖 暖 暖 暖 暖 暖 暖 暖 暖 暖									

Unit Four

Diet and Health

 16

早饭你吃了什么
zǎo fàn nǐ chī le shén me

1. Choose the corresponding translation for each word.

> 1 cup 　　　　2 porridge 　　　3 meat
> 4 Coca-cola 　　5 diet 　　　　6 lunch
> 7 noodle 　　　　8 steamed-stuffed bun

ròu 肉 _____3_____ 　　　　bēi 杯 _____

wǔfàn 午饭 _____ 　　　　shípǔ 食谱 _____

kěkǒu kělè 可口可乐 _____ 　　　　zhōu 粥 _____

bāozi 包子 _____ 　　　　miàntiáo 面条 _____

2. Combine the characters in the box into words and then write them in *Pinyin*.

晚	香	米	豆
鸡	包	明	牛
三	腐	饭	治
奶	子	蕉	蛋

(1) _米饭 mǐfàn_ 　　　　(2) _____

(3) _____ 　　　　(4) _____

(5) _____ 　　　　(6) _____

(7) _____ 　　　　(8) _____

3. Write a Chinese word that can best describe the item in each picture.

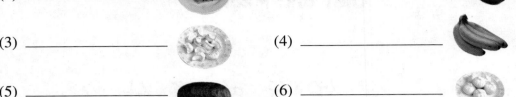

(1) _sānmíngzhì 三明治_ (2) _____

(3) _____ (4) _____

(5) _____ (6) _____

4. Match the words in the left column and the ones in the right to form new phrases.

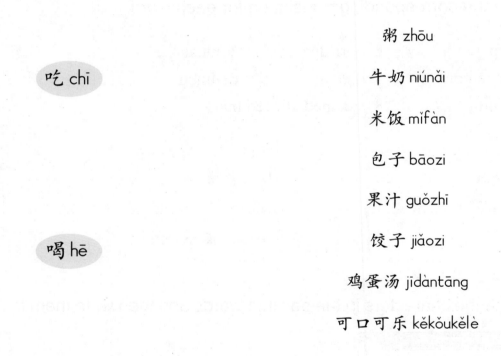

粥 zhōu

牛奶 niúnǎi

米饭 mǐfàn

吃 chī

包子 bāozi

果汁 guǒzhī

饺子 jiǎozi

喝 hē

鸡蛋汤 jīdàntāng

可口可乐 kěkǒukělè

5. Translate the following sentences into English.

(1) 早　饭　我　只　喝　了　一　杯　牛　奶。
zǎo fàn wǒ zhǐ hē le yì bēi niú nǎi

I only had a glass of milk for breakfast.

(2) 午　饭　我　吃　了　两　个　鸡蛋,还　吃　了　一　个　香　蕉。
wǔ fàn wǒ chī le liǎng ge jī dàn hái chī le yí ge xiāng jiāo

_____

(3) 晚 饭 李 大 龙 喝 了 一 碗 鸡 蛋 汤。
　　wǎn fàn lǐ dà lóng hē le yì wǎn jī dàn tāng

_____

(4) 安 妮 特 别 爱 吃 面 包。
　　ān nī tè bié ài chī miàn bāo

_____

6. Complete the following form.

Diets

	安　妮	王小雨
早饭 zǎofàn	果汁 guǒzhī	粥 zhōu
午饭 wǔfàn		
晚饭 wǎnfàn		

7. Exercises on Chinese characters.

(1) Identify the components of each of the following Chinese characters.

Example　蛋→疋＋虫

香→　　　　　杯→　　　　　食→

腐→　　　　　汁→　　　　　意→

(2) Combine the following grouped components into Chinese characters.

Example　阝＋月→阴

讠＋普→　　　饣＋反→　　　弓＋米＋弓→　　　讠＋身＋寸→

_____

(3) Copy the Chinese characters by following the stroke order.

bāo	包	包	包	包	包	包								
dòu	豆	豆	豆	豆	豆	豆	豆	豆						
xiāng	香	香	香	香	香	香	香	香	香	香				
miàn	面	面	面	面	面	面	面	面	面	面				
ài	爱	爱	爱	爱	爱	爱	爱	爱	爱	爱	爱			
fǔ	腐	腐	腐	腐	腐	腐	腐	腐	腐	腐	腐	腐	腐	腐

17　我喜欢喝茶

wǒ　xǐ　huan　hē　chá

1. Combine the characters in the box into words and then write them in *Pinyin*.

咖	前	有	文
饭	中	三	治
些	明	国	边
人	化	啡	馆

(1) ___咖啡 kāfēi___　　　　(2) _____

(3) _____　　　　(4) _____

(5) _____　　　　(6) _____

(7) _____

2. Translate.

(1) chá　　茶　___tea___　　　(2) è　　饿　_____

(3) fànguǎn　饭馆　_____　　(4) qiánbian　前边　_____

(5) kāfēi　　咖啡　_____　　(6) wénhuà　文化　_____

(7) yǒuxiē　有些　_____　　(8) dòufu　豆腐　_____

3. Decide whether the following expressions are correct or not (T/F).

(1) 又　高　又　胖 ___T___
　　yòu　gāo　yòu　pàng

(2) 又　热　又　渴 _____
　　yòu　rè　yòu　kě

(3) 又　大　又　小 _____
　　yòu　dà　yòu　xiǎo

(4) 又　多　又　好 _____
　　yòu　duō　yòu　hǎo

(5) 又　宽　又　大 _____
　　yòu　kuān　yòu　dà

(6) 又　长　又　短 _____
　　yòu　cháng　yòu　duǎn

4. Complete the conversation with the words in the box.

不	都	爱	请	种	又	怎么
bù	dōu	ài	qǐng	zhǒng	yòu	zěnme

A: 你 ＿＿＿＿＿＿ 了?
　　nǐ　　　　　le

B: 我 觉 得 ＿＿＿＿ 热 ＿＿＿＿ 渴。
　　wǒ jué de　　　rè　　　kě

A: 我 ＿＿＿＿ 你 喝 咖 啡, 好 ＿＿＿＿ 好?
　　wǒ　　　nǐ hē kā fēi hǎo　　　hǎo

B: 我 不 ＿＿＿＿ 喝 咖 啡。我 喜 欢 喝 茶。
　　wǒ bú　　　hē kā fēi wǒ xǐ huan hē chá

A: 好, 我 请 你 喝 茶。你 们 国 家 的 人 ＿＿＿＿ 喜 欢
　　hǎo wǒ qǐng nǐ hē chá nǐ men guó jiā de rén　　　xǐ huan

　　喝 茶 吗?
　　hē chá ma

B: 是 的, 喝 茶 在 我 们 国 家 是 一 ＿＿＿＿ 文 化。
　　shì de hē chá zài wǒ men guó jiā shì yì　　　wén huà

86

5. Make up sentences with the words in the box as the example.

马明　　大龙　　看电影

杰克　　安妮　　喝咖啡

哥哥　　妹妹　　吃麦当劳

刘老师　朋友　　吃中餐

(1) 马　明　请　大　龙　看　电　影。
mǎ　míng　qǐng　dà　lóng　kàn　diàn　yǐng

(2) _____

(3) _____

(4) _____

6. Translate the following sentences into English.

(1) 我　请　你　喝　咖　啡，好　吗?
wǒ　qǐng　nǐ　hē　kā　fēi　hǎo　ma

I'll treat you to some coffee, OK?

(2) 李　大　龙　请　杰　克　到　他　家　玩。
lǐ　dà　lóng　qǐng　jié　kè　dào　tā　jiā　wán

_____

(3) 她　现　在　觉　得　又　饿　又　渴。
tā　xiàn　zài　jué　de　yòu　è　yòu　kě

_____

(4) 中　国　人　都　爱　喝　茶　吗?
zhōng　guó　rén　dōu　ài　hē　chá　ma

_____

7. Writing.

Hints: Answer the following questions and then make a paragraph.

Questions: Do you like tea? What advantages does drinking tea have? Do you know any differences and special things that need to be paid attention to when the Chinese drink tea?

Key words: 茶   爱   觉得   糖   好处   特点
chá   ài   juéde   táng   hǎochù   tèdiǎn

8. Exercises on Chinese characters.

(1) Identify the components of each of the following Chinese characters.

Example   ① 化→亻＋七

们→　　　　　　他→　　　　　　作→　　　　　　俱→

② 饿→饣＋我

饭→　　　　　　馆→　　　　　　饺→　　　　　　饱→

(2) Combine the following grouped components into Chinese characters.

Example   口＋力＋口→咖

口＋非→　　　　　　饣＋我→　　　　　　此＋二→

亻＋阝＋弓→　　　　　　亻＋古＋攵→

(3) Copy the Chinese characters by following the stroke order.

huà	化	化 化 化 化									
mài	麦	麦 麦 麦 麦 麦 麦 麦									
láo	劳	劳 劳 劳 劳 劳 劳 劳									
chá	茶	茶 茶 茶 茶 茶 茶 茶 茶 茶									
guǎn	馆	馆 馆 馆 馆 馆 馆 馆 馆 馆 馆 馆									
fēi	啡	啡 啡 啡 啡 啡 啡 啡 啡 啡 啡 啡									

18 我吃饱了
wǒ chī bǎo le

1. Combine the characters in the box into words and then write them in *Pinyin*.

忘 只 做 汁
果 豆 咖 香
前 饭 记 是
蕉 边 腐 啡

(1) 忘记 wàngjì   (2) _____

(3) _____ (4) _____

(5) _____ (6) _____

(7) _____ (8) _____

2. Match the words and the pictures.

可乐   kělè

面包   miànbāo

果汁   guǒzhī

牛奶   niúnǎi

比萨饼   bǐsàbǐng

蛋炒饭   dànchǎofàn

3. Choose the corresponding translation for each word.

1 to put	2 only	3 to cook	4 fruit juice
5 to taste	6 to forget	7 salt	8 to finish

(1) wán 完   8   (2) fàng 放 _____

(3) yán 盐 _____ (4) cháng 尝 _____

(5) zuò fàn 做饭 _____ (6) guǒzhī 果汁 _____

(7) wàngjì 忘记 _____ (8) zhǐshì 只是 _____

4. Fill the blanks with proper complements.

会　饱　好　完
huì　bǎo　hǎo　wán

(1)

妈　妈，　我　吃＿＿＿了。
mā　ma　wǒ　chī　＿＿＿　le

(2)

五　点　钟　的　时　候，我　终
wǔ　diǎn zhōng de　shí　hou　wǒ　zhōng

于　做＿＿＿了　作　业。
yú　zuò　＿＿＿　le　zuò　yè

(3)

安　妮　很　兴　奋，因　为　她
ān　nī　hěn　xīng fèn　yīn wèi　tā

学＿＿＿了　做　饭。
xué　＿＿＿　le　zuò　fàn

(4)

请　大　家　坐＿＿＿，车
qǐng　dà　jiā　zuò　＿＿＿　chē

马　上　就　要　开　了。
mǎ shàng jiù　yào　kāi　le

5. Fill in the blanks with the proper words.

> 一 点 儿　　　有 点 儿
> yì diǎnr　　　yǒu diǎnr

(1) 最　近　天　气　<u>有　点　儿</u>　冷。
zuì　jìn　tiān　qì　yǒu diǎnr　lěng

(2) 早　饭　我　只　喝　了 _____ 果　汁。
zǎo fàn　wǒ　zhǐ　hē　le　guǒ　zhī

(3) 马　明　昨　天　踢　了　很　长　时　间　的　足　球，他　的
mǎ　míng zuó tiān　tī　le　hěn cháng shí jiān　de　zú　qiú　tā　de

腿　现　在 _____ 疼。
tuǐ　xiàn zài　téng

(4) 我　觉　得　这　里　的　天　气 _____ 热。
wǒ　jué　de　zhè　li　de　tiān　qì　rè

6. Translate the following sentences into English.

(1) 这　是　我　做　的　饭，请　你　尝　一　尝。
zhè　shì　wǒ　zuò　de　fàn　qǐng　nǐ　cháng yi cháng

<u>This meal was cooked by me. Would you like to try it?</u>

(2) 安　妮，你　吃　完　了　吗?
ān　nī　nǐ　chī　wán　le　ma

_____

(3) 杰　克　学　会　开　车　了，他　很　高　兴。
jié　kè　xué　huì　kāi　chē　le　tā　hěn　gāo xìng

_____

(4) 已　经　7　点　了，我　有　点　儿　饿。
yǐ　jīng　qī diǎn　le　wǒ　yǒu diǎnr　è

_____

7. Writing.

Hints: Answer the following questions and then make a paragraph.

Questions: Have you ever tried cooking your favourite food or dishes? If you have, what were the procedures? How did it taste?

Key words: 试　　尝一尝　淡　放　盐　糖　忘记　先　然后
　　　　　shì　cháng yi cháng　dàn　fàng　yán　táng　wàng jì　xiān　rán hòu

8. Exercises on Chinese characters.

(1) Identify the components of each of the following Chinese characters.

   Example ① 汁 → 氵 + 十

   够 →   饱 →   放 →   记 →

   ② 淡 → 氵 + 炎

   江 →   河 →   海 →   湖 →

(2) Combine the following grouped components into Chinese characters.

   Example 亡 + 心 → 忘

   小 + 云 →   宀 + 元 →   土 + 卜 + 皿 →   氵 + 火 + 火 →

(3) Copy the Chinese characters by following the stroke order.

zhī	汁	汁	汁	汁	汁	汁					
wán	完	完	完	完	完	完	完	完			
bǎo	饱	饱	饱	饱	饱	饱	饱	饱	饱		
fàng	放	放	放	放	放	放	放	放			
cháng	尝	尝	尝	尝	尝	尝	尝	尝	尝		
dàn	淡	淡	淡	淡	淡	淡	淡	淡	淡	淡	淡

19 我的手摔伤了
wǒ de shǒu shuāishāng le

1. Combine the characters in the box into words and then write them in *Pinyin*.

感	嗓	文	最
音	润	咳	会
嗽	乐	好	冒
片	子	喉	化

(1) 感冒 gǎnmào   (2) _____

(3) _____   (4) _____

(5) _____   (6) _____

(7) _____

2. Choose the correct *Pinyin* for each word.

wǎn	晚
shuāi shāng	卖
liú bítì	咳嗽
mài	检查
késou	摔伤
jiǎnchá	流鼻涕

3. Translate.

(1) mài 卖   to sell   (2) wǎn 晚 _____

(3) zuìhǎo 最好 _____   (4) sǎngzi 嗓子 _____

(5) késou 咳嗽 _____   (6) gǎnmào 感冒 _____

(7) bù xiǎoxīn 不小心 _____   (8) méi wèntí 没问题 _____

4. Complete the following conversations with the given words.

(1) A: 老 师, 你 觉 得 累 吗?
　　 lǎo shi nǐ jué de lèi ma

　 B: 是 的, 我 觉 得 有 点 儿 累。
　　 shì de wǒ jué de yǒu diǎnr lèi

　　 (有 点 儿)
　　 yǒu diǎnr

(2)

A: 医 生, 我 怎 么 了?
　 yī shēng wǒ zěn me le

B: ＿＿＿＿＿＿＿＿＿。

　　 (有 点 儿)
　　 yǒu diǎnr

(3) A: 快 要 下 雨 了。
　　 kuài yào xià yǔ le

　 B: 是 的, 你 ＿＿＿＿＿＿＿。
　　 shì de nǐ

　　 (最 好)
　　 zuì hǎo

(4)

A: 安 妮 的 脚 摔 伤 了。
　 ān nī de jiǎo shuāi shāng le

B: 糟 糕! 她 ＿＿＿＿＿＿＿。
　 zāo gāo tā

　　 (最 好)
　　 zuì hǎo

5. Complete the conversation with the words in the box.

> 要　　最好　　可能　　有点儿　　完
> yào　zuì hǎo　kě néng　yǒu diǎnr　wán

A: 你　好，你 _____ 买　什　么　药？
　　nǐ　hǎo　nǐ　　　　　mǎi shén me yào

B: 有　没　有　发　烧　药？
　　yǒu méi yǒu fā shāo yào

A: 对　不　起，卖 _____ 了。你　怎　么　了？
　　duì bu qǐ　mài　　　　　le　nǐ zěn me le

B: 我　发　烧，还 _____ 咳　嗽。
　　wǒ fā shāo hái　　　　　ké sou

A: 你 _____ 感　冒　了，你 _____ 去　看　一　下　医　生。
　　nǐ　　　　　gǎn mào le nǐ　　　　　qù kàn yí xià yī shēng

6. Translate the following sentences into English.

(1) 你　可　能　感　冒　了，最　好　去　看　一　下　医　生。
　　nǐ kě néng gǎn mào le zuì hǎo qù kàn yí xià yī shēng

　　You might have a cold. You'd better go to see a doctor.

(2) 刘　老　师　最　近　不　舒　服，他　最　好　休　息　几　天。
　　liú lǎo shī zuì jìn bù shū fu tā zuì hǎo xiū xi jǐ tiān

　　_____

(3) 安　妮　今　天　有　点　儿　头　疼，还　有　点　儿　咳　嗽。
　　ān nī jīn tiān yǒu diǎnr　tóu téng hái yǒu diǎnr　ké sou

　　_____

(4) 前　天　我　去　医　院　检　查　了　一　下　身　体。
　　qián tiān wǒ qù yī yuàn jiǎn chá le yí xià shēn tǐ

　　_____

7. Writing:Write a paragraph according to the given pictures.

Key words: 感冒　摔伤　医院　检查　药店
gǎn mào　shuāi shāng　yī yuàn　jiǎn chá　yào diàn

8. Exercises on Chinese characters.

(1) Identify the components of each of the following Chinese characters.

Example　① 冒→曰＋目

鼻→　　　　　　最→　　　　　　感→

卖→　　　　　　查→　　　　　　点→

② 润→氵＋闰

检→　　　　　　摔→　　　　　　伤→　　　　　　院→

(2) Combine the following grouped components into Chinese characters.

Example　口＋桑→嗓

氵＋弟→　　　　米＋曹→　　　　执＋灬→　　　　咸＋心→

(3) Copy the Chinese characters by following the stroke order.

mài	卖	卖	卖	卖	卖	卖	卖	卖	卖					
rùn	润	润	润	润	润	润	润	润	润	润				
tì	涕	涕	涕	涕	涕	涕	涕	涕	涕	涕	涕			
sǎng	嗓	嗓	嗓	嗓	嗓	嗓	嗓	嗓	嗓	嗓	嗓	嗓	嗓	
shuāi	摔	摔	摔	摔	摔	摔	摔	摔	摔	摔	摔	摔	摔	摔
bí	鼻	鼻	鼻	鼻	鼻	鼻	鼻	鼻	鼻	鼻	鼻	鼻	鼻	鼻

20 叔叔请客
shū shu qǐng kè

1. Combine the characters in the box into words and then write them in *Pinyin*.

请 生 见 叔
后 发 上 检
病 查 客 来
课 面 烧 叔

(1) ___生病 shēngbìng___ (2) _____

(3) _____ (4) _____

(5) _____ (6) _____

(7) _____ (8) _____

2. Choose the correct *Pinyin* for each word.

rè   菜
cuò   凉
cài   约
duì   卖
liáng   热
yuē   错
mài   对

3. Translate.

(1) cuò 错   ___wrong___   (2) liáng 凉   _____

(3) yuē 约   _____   (4) cài 菜   _____

(5) shūshu 叔叔 _____   (6) jiànmiàn 见面 _____

(7) shēngbìng 生病 _____   (8) qǐngjià 请假   _____

4. Choose the correct complement for each verb.

(1) 摔 shuāi   病 bìng

                   伤 shāng

                   走 zǒu

(2) 吃 chī   饱 bǎo

                   疼 téng

                   热 rè

(3) 做 zuò   去 qù

                   太 tài

                   完 wán

(4) 约 yuē   去 qù

                   好 hǎo

                   走 zǒu

5. Complete the following sentences with the given words.

(1) 马 明 觉 得 很 不 舒 服，
mǎ míng jué de hěn bù shū fu

他 可 能 生 病 了。（可 能）
tā kě néng shēng bìng le   kě néng

(2)

我 今 天 踢 了 很 长 时
wǒ jīn tiān tī le hěn cháng shí

间 的 足 球，现 在 _____
jiān de zú qiú xiàn zài

_____。（有 点 儿）
           yǒu diǎnr

(3)

　　————————————，我　们
　　　　　　　　　　　　　wǒ　men

出　去　玩　吧。（又……又……）
chū　qù　wán　ba　yòu　　yòu

(4) 晚　上　我　不　能　和　你　去
    wǎn shang wǒ bù néng hé nǐ qù

看　电　影　了，因　为　————————
kàn diàn yǐng le yīn wèi

————————————。（请）
　　　　　　　　　　　　qǐng

6. Translate the following sentences into English.

(1) 他　约　我　在　饭　店　的　门　口　见　面。
    tā yuē wǒ zài fàn diàn de mén kǒu jiàn miàn
    <u>He asked me to meet him at the doorway of the hotel.</u>

(2) 马　明　约　杰　克　下　午　三　点　钟　见　面。
    mǎ míng yuē jié kè xià wǔ sān diǎn zhōng jiàn miàn

    _____

(3) 杰　克　今　天　没　来　上　课，不　过　他　向　老　师　请　假　了。
    jié kè jīn tiān méi lái shàng kè bú guò tā xiàng lǎo shī qǐng jià le

    _____

(4) 这　里　的　中　国　菜　又　便　宜　又　好　吃。
    zhè li de zhōng guó cài yòu pián yi yòu hǎo chī

    _____

7. Writing.

Hints: Write a note asking for leave.

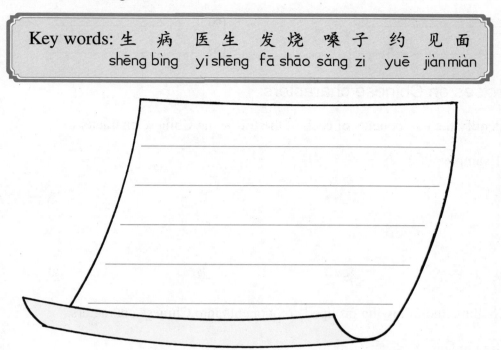

Key words: 生 病　医 生　发 烧　嗓 子　约　见 面
shēng bìng　yī shēng　fā shāo　sǎng zi　yuē　jiàn miàn

8. Find the *Pinyin* hidden in the box and write down the corresponding Chinese characters.

m	k	é	s	o	u	p	o	w
n	d	h	sh	d	g	j	i	é
t	ū	y	ē	e	y	q	m	n
z	q	ǐ	n	g	j	i	à	h
u	s	z	g	p	i	b	r	ǔ
ì	ch	t	b	o	à	k	i	à
h	ù	d	ì	l	n	a	j	c
ǎ	sh	s	n	d	m	i	à	n
o	w	g	g	ǎ	n	m	à	o
r	k	ā	f	ē	i	f	a	z

(1) _____ qīngjià 请假 _____   (2) _____

(3) _____   (4) _____

(5) _____   (6) _____

(7) _____   (8) _____

9. Exercises on Chinese characters.

(1) Identify the components of each of the following Chinese characters.

> **Example** ① 约→纟＋勺

叔→   玩→   烧→   凉→

> ② 药→艹＋约

菜→   茶→   草→   蕉→

(2) Combine the following grouped components into Chinese characters.

> **Example** 钅＋昔→错

艹＋采→   疒＋丙→   扌＋又→   景＋彡→

(3) Copy the Chinese characters by following the stroke order.

yuē	约	约 约 约 约 约 约						
shū	叔	叔 叔 叔 叔 叔 叔 叔 叔						
yào	药	药 药 药 药 药 药 药 药 药						
bìng	病	病 病 病 病 病 病 病 病 病 病						
cuò	错	错 错 错 错 错 错 错 错 错 错 错 错 错						

104

Unit Five

Colorful Clothing

21 我穿什么好
wǒ chuān shén me hǎo

1. Combine the characters in the box into words and then write them in *Pinyin*.

衬	服	好	哪
领	检	文	带
查	裤	衫	子
看	装	化	里

(1) 衬衫 chènshān   (2) _____

(3) _____   (4) _____

(5) _____   (6) _____

(7) _____   (8) _____

2. Choose the correct *Pinyin* for each word.

jì	真
tào	系
chènshān	套
zhēn	衬衫
lǐngdài	服装
fúzhuāng	领带

3. Translate.

(1) bái 白   white

(2) jì 系   _____

(3) huīsè 灰色   _____

(4) lǐngdài 领带   _____

(5) hǎokàn 好看   _____

(6) fúzhuāng 服装   _____

(7) chènshān 衬衫   _____

(8) màozi 帽子   _____

4. Choose the correct measure word.

(1) 一（副　个　套）西装　
　　yī　fù　ge　tào　xī zhuāng

(2) 一（套　件　副）手套　
　　yī　tào　jiàn　fù　shǒu tào

(3) 一（个　双　件）衬衫　
　　yī　ge shuāng jiàn chèn shān

(4) 一（双　套　条）裤子　
　　yī shuāng tào tiáo kù zi

5. Complete the following sentences as the example.

(1) 王 小 雨 的 衣 服 很 漂 亮，但 是 安 妮 的 衣 服
　　wáng xiǎo yǔ de yī fu hěn piào liang dàn shì ān nī de yī fu

　　更 漂 亮。
　　gèng piào liang

(2) 这 件 T 恤 衫 很 大，但 是 那 件 ＿＿＿＿＿＿＿。
　　zhè jiàn 　 xù shān hěn dà dàn shì nà jiàn

(3) 那 件 红 色 的 旗 袍 有 点 儿 长，但 是 这 件 蓝
　　nà jiàn hóng sè de qí páo yǒu diǎnr 　 cháng dàn shì zhè jiàn lán

　　色 的 ＿＿＿＿＿＿＿。
　　sè de

(4) 这 双 运 动 鞋 很 贵，可 是 那 双 ＿＿＿＿＿＿＿＿＿。
　　zhè shuāng yùn dòng xié hěn guì kě shì nà shuāng

6. Translate the following sentences into English.

(1) 安 妮 穿 那 条 裙 子 真 漂 亮！
　　ān nī chuān nà tiáo qún zi zhēn piào liang

　　Annie looks gorgeous in that skirt.

(2) 白 衬 衫 配 红 色 的 领 带 更 好 看。
　　bái chèn shān pèi hóng sè de lǐng dài gèng hǎo kàn

　　＿＿＿＿＿＿＿＿＿＿＿＿＿＿＿＿＿＿＿

(3) 玛　丽　穿　旗　袍　非　常　漂　亮，但　是　王　小　雨　穿　旗
mǎ　lì　chuān　qí　páo　fēi　cháng　piào　liang　dàn　shì　wáng　xiǎo　yǔ　chuān　qí

袍　更　漂　亮。
páo　gèng　piào　liang

_____

(4) 刘　老　师　穿　蓝　色　的　西　装　好　看，但　是　李　老　师
liú　lǎo　shī　chuān　lán　sè　de　xī　zhuāng　hǎo　kàn　dàn　shì　lǐ　lǎo　shī

穿　蓝　色　的　西　装　更　好　看。
chuān　lán　sè　de　xī　zhuāng　gèng　hǎo　kàn

_____

7. Writing.

Hints: Answer the following questions and then make a paragraph.

Questions: What do you think of Chinese costumes and Western-style clothes? What characteristics do they have respectively? What do you like about them?

Key words: 服　装　　西　装　　领　带　　唐　装　　好　看　　漂　亮
fú zhuāng　　xī zhuāng　　lǐng dài　　táng zhuāng　　hǎo kàn　　piào liang

8. **Exercises on Chinese characters.**

(1) Identify the components of each of the following Chinese characters.

> Example ① 衬 → 衤 + 寸

领 →　　　　　　唐 →　　　　　　装 →　　　　　　系 →

> ② 灰 → 厂 + 火

度 →　　　　　　庆 →　　　　　　病 →　　　　　　应 →

(2) Combine the following grouped components into Chinese characters.

> Example 月 + 艮 → 服

衤 + 多 →　　　　　　大 + 长 →　　　　　　宀 + 具 →

(3) Copy the Chinese characters by following the stroke order.

huī	灰	灰	灰	灰	灰	灰	灰				
jì	系	系	系	系	系	系	系	系			
chèn	衬	衬	衬	衬	衬	衬	衬	衬	衬		
zhēn	真	真	真	真	真	真	真	真	真	真	
lǐng	领	领	领	领	领	领	领	领	领	领	领

这种鞋跟那种鞋一样
zhè zhǒng xié gēn nà zhǒng xié yí yàng

1. **Choose the corresponding translation for each word.**

1 to get married	2 wedding	3 suitable	4 to change
5 shoes	6 outing	7 to play football	8 clothes

(1) xié 鞋 _____5_____   (2) huàn 换 _____

(3) hūnlǐ 婚礼 _____   (4) jiéhūn 结婚 _____

(5) héshì 合适 _____   (6) jiāoyóu 郊游 _____

(7) fúzhuāng 服装 _____   (8) tī qiú 踢球 _____

2. **Choose the correct *Pinyin* for each word.**

lǐngdài	帽子
lǚyóu	衬衫
chènshān	舅舅
jiùjiu	皮鞋
màozi	领带
píxié	旅游

3. **Combine the characters in the box into words and then write them in *Pinyin*.**

合	舅	皮	婚
郊	结	踢	西
漂	装	亮	游
球	鞋	适	舅

(1) ___合适 héshì___   (2) _____

(3) _____   (4) _____

(5) _____   (6) _____

(7) _____   (8) _____

4. Make sentences with the words in the box as the example.

> 这条裙子　　　那条裙子
>
> 我的鞋　　　弟弟的鞋
>
> 这里的冬天　　　那里的冬天
>
> 爸爸的年纪　　　妈妈的年纪

(1) 这 条 裙 子 跟 那 条 裙 子 一 样。
　　zhè tiáo qún zi gēn nà tiáo qún zi yí yàng

(2) _____

(3) _____

(4) _____

5. Rearrange the following words into the correct sentences.

(1) 李 大 龙　跟　的　一 样　书 包　李 小 龙　的
　　lǐ dà lóng gēn de yí yàng shū bāo lǐ xiǎo lóng de

　　李 大 龙 的 书 包 跟 李 小 龙 的 一 样。
　　lǐ dà lóng de shū bāo gēn lǐ xiǎo lóng de yí yàng

(2) 那 条　领 带　跟　一 样　这 条
　　nà tiáo lǐng dài gēn yí yàng zhè tiáo

　　_____

(3) 牛 仔 裤　不　一 样　这 条　那 条　跟
　　niú zǎi kù bù yí yàng zhè tiáo nà tiáo gēn

　　_____

(4) 这 件　衣 服　的　跟　一 样　那 件　颜 色
　　zhè jiàn yī fu de gēn yí yàng nà jiàn yán sè

　　_____

—— 110 ——

6. **Translate the following sentences into English.**

(1) 杰 克 不 希 望 他 的 T 恤 衫 跟 马 明 的 一 样。
　　jié kè bù xī wàng tā de 　 xù shān gēn mǎ míng de yí yàng

<u>Jack doesn't want his T-shirt to be the same as Ma Ming's.</u>

(2) 妈 妈 不 希 望 晚 饭 跟 午 饭 一 样。
　　mā ma bù xī wàng wǎn fàn gēn wǔ fàn yí yàng

_____

(3) 你 穿 运 动 鞋 参 加 婚 礼 不 合 适。
　　nǐ chuān yùn dòng xié cān jiā hūn lǐ bù hé shì

_____

(4) 安 妮 穿 那 件 衣 服 合 适 吗?
　　ān nī chuān nà jiàn yī fu hé shì ma

_____

7. **Writing.**

Hints:　　　Answer the following questions and then make a paragraph.

Questions:　Have you ever been to a wedding ceremony? What did people wear at the wedding? Describe the whole process of the wedding.

Key words: 结婚　　婚礼　　参加　　合适　　漂亮　　鞋　　服装
　　　　　　jiéhūn　　hūn lǐ　　cānjiā　　hé shì　　piàoliang　xié　　fúzhuāng

8. Exercises on Chinese characters.

(1) Identify the components of each of the following Chinese characters.

Example ① 结→纟＋吉

郊→　　　　踢→　　　　换→　　　　礼→

② 舅→臼＋男

穿→　　　　李→　　　　看→　　　　常→

(2) Combine the following grouped components into Chinese characters.

Example 革＋圭→鞋

足＋易→　　　　力＋口→　　　　木＋羊→　　　　女＋昏→

(3) Copy the Chinese characters by following the stroke order.

jiāo	郊	郊	郊	郊	郊	郊	郊	郊							
jié	结	结	结	结	结	结	结	结							
shì	适	适	适	适	适	适	适	适							
huàn	换	换	换	换	换	换	换	换	换						
jiù	舅	舅	舅	舅	舅	舅	舅	舅	舅	舅	舅	舅	舅		
tī	踢	踢	踢	踢	踢	踢	踢	踢	踢	踢	踢	踢	踢	踢	踢

23 请给我们拿两件大号的T恤衫

qǐng gěi wǒ men ná liǎng jiàn dà hào de   xù shān

1. Combine the characters in the box into words and then write them in *Pinyin.*

刚	镜	时	减
子	棒	衬	大
合	号	髦	适
衫	才	球	肥

(1) 刚才 gāngcái   (2) _____

(3) _____   (4) _____

(5) _____   (6) _____

(7) _____   (8) _____

2. Choose the correct *Pinyin* for each word.

féi	瘦
bàngqiúmào	肥
shímáo	时髦
shòu	减肥
jiǎnféi	大号
dàhào	棒球帽

3. Translate.

(1) bǐ 比 _____than_____   (2) shòu 瘦 _____

(3) gāngcái 刚才 _____   (4) jìngzi 镜子 _____

(5) shímáo 时髦 _____   (6) kùzi 裤子 _____

(7) jiǎnféi 减肥 _____   (8) chènshān 衬衫 _____

4. **Complete the following conversations as the example.**

(1) A: 这 两 件 T 恤 衫 一 样 大 吗?
　　　zhè liǎng jiàn 　 xù shān yí yàng dà ma

　　B: 不, 蓝 色 的 那 件 比 白 色 的 那 件 大。.
　　　bù lán sè de nà jiàn bǐ bái sè de nà jiàn dà

(2) A: 这 两 条 裤 子 一 样 长 吗?
　　　zhè liǎng tiáo kù zi yí yàng cháng ma

　　B: 不, ＿＿＿＿＿＿＿＿＿＿＿＿＿＿。
　　　bù

(3) A: 这 两 个 地 方 的 天 气 一 样 冷 吗?
　　　zhè liǎng ge dì fang de tiān qì yí yàng lěng ma

　　B: 不 是, ＿＿＿＿＿＿＿＿＿＿＿＿＿。
　　　bú shì

(4) A: 这 两 个 杯 子 一 样 大 吗?
　　　zhè liǎng ge bēi zi yí yàng dà ma

　　B: 不 是, ＿＿＿＿＿＿＿＿＿＿＿＿＿。
　　　bú shì

5. **Decide whether the following statements are true or false (T/F).**

(1) 我 的 自 行 车 跟 一 样 他 的 自 行 车 漂 亮。 __F__
　　wǒ de zi xíng chē gēn yí yàng tā de zi xíng chē piào liang

(2) 这 种 运 动 鞋 比 贵 那 种 运 动 鞋。 ＿＿
　　zhè zhǒng yùn dòng xié bǐ guì nà zhǒng yùn dòng xié

(3) 她 比 我 奶 奶 老。 ＿＿
　　tā bǐ wǒ nǎi nai lǎo

(4) 东 京 的 秋 天 比 北 京 的 秋 天 凉 快。 ＿＿
　　dōng jīng de qiū tiān bǐ běi jīng de qiū tiān liáng kuai

6. **Translate the following sentences into English.**

(1) 这 个 人 比 那 个 人 瘦。
　　zhè ge rén bǐ nà ge rén shòu

　　This person is thinner than that one.

(2) 这 部 电 影 比 那 部 电 影 好 看。
zhè bù diàn yǐng bǐ nà bù diàn yǐng hǎo hàn

_____

(3) 这 件 T 恤 衫 比 那 件 T 恤 衫 大。
zhè jiàn xù shān bǐ nà jiàn xù shān dà

_____

(4) 你 知 道 安 妮 比 她 妹 妹 大 几 岁 吗?
nǐ zhī dào ān ní bǐ tā mèi mei dà jǐ suì ma

_____

7. Writing.

Hints: Compare the similarities and differences between two things, such as the weather, foods and hobbies etc. in two different areas. You can make comparisons in terms of the size, the colors and the features etc.

Key words: 比 更 颜色 样子 喜欢 长 短
bǐ gèng yán sè yàng zi xǐ huan cháng duǎn

8. Exercises on Chinese characters.

(1) Identify the components of each of the following Chinese characters.

> **Example** ① 帽→巾＋冒

裤→ 　　　　短→ 　　　　肥→ 　　　　颜→

> ② 知→矢＋口

吗→ 　　　　和→ 　　　　嗓→

问→ 　　　　咖→ 　　　　员→

(2) Combine the following grouped components into Chinese characters.

> **Example** 丁＋页→顶

忄＋血→ 　　　　　　衤＋君→ 　　　　　　冈＋刂→

钅＋竟→ 　　　　　　矢＋豆→ 　　　　　　髟＋毛→

(3) Copy the Chinese characters by following the stroke order.

gāng	刚	刚	刚	刚	刚	刚	刚								
dǐng	顶	顶	顶	顶	顶	顶	顶	顶							
duǎn	短	短	短	短	短	短	短	短	短	短	短	短			
mào	帽	帽	帽	帽	帽	帽	帽	帽	帽	帽	帽	帽			
kù	裤	裤	裤	裤	裤	裤	裤	裤	裤	裤	裤				
máo	髦	髦	髦	髦	髦	髦	髦	髦	髦	髦	髦	髦	髦	髦	

他衣服上画的是龙
tā yī fu shang huà de shì lóng

1. Choose the corresponding translation for each word.

1 to paint	2 dragon	3 to grow	4 tall
5 animal	6 to be born	7 short	8 pants

(1) lóng 龙 _____2_____   (2) huà 画 _____

(3) duǎn 短 _____   (4) gāo 高 _____

(5) zhǎng 长 _____   (6) kùzi 裤子 _____

(7) dòngwù 动物 _____   (8) chūshēng 出生 _____

2. Choose the correct *Pinyin* for each word.

duǎn	矮
ǎi	短
qípáo	时髦
shímáo	属相
shǔxiang	旗袍
qùnián	去年

3. Write a Chinese word that can best describe the item in each picture.

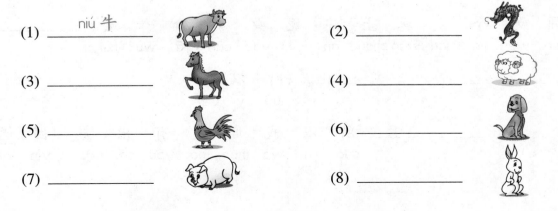

(1) _____niú 牛_____

(2) _____

(3) _____

(4) _____

(5) _____

(6) _____

(7) _____

(8) _____

4. Fill in the blanks with the proper words.

小	好吃	大	热	长	短	舒服
xiǎo	hǎochī	dà	rè	cháng	duǎn	shūfu

(1) 我 爷 爷 的 年 纪 跟 我 奶 奶 一 样 <u>大</u> 。
wǒ yé ye de nián jì gēn wǒ nǎi nai yí yàng dà

(2) 那 辆 汽 车 跟 这 辆 汽 车 一 样 _____ 。
nà liàng qì chē gēn zhè liàng qì chē yí yàng

(3) 北 京 的 天 气 跟 纽 约 的 天 气 一 样 _____ 。
běi jīng de tiān qì gēn niǔ yuē de tiān qì yí yàng

(4) 这 道 菜 跟 那 道 菜 一 样 _____ 。
zhè dào cài gēn nà dào cài yí yàng

5. Complete the following sentences with the given words.

(1) _____ , 所 以 我 迟 到 了 。(因 为)
suǒ yǐ wǒ chí dào le yīn wèi

(2) 因 为 爷 爷 常 常 锻 炼 身 体 , _____ 。
yīn wèi yé ye cháng cháng duàn liàn shēn tǐ

(所 以)
suǒ yǐ

(3) _____ , 所 以 他 属 龙 。(因 为)
suǒ yǐ tā shǔ lóng yīn wèi

(4) 因 为 今 天 晚 上 安 妮 要 参 加 舞 会 , _____
yīn wèi jīn tiān wǎn shang ān ni yào cān jiā wǔ huì

_____ 。(所 以)
suǒ yǐ

(5) _____ , 所 以 我 们 没 有 出 去 。(因 为)
suǒ yǐ wǒ men méi yǒu chū qù yīn wèi

6. Translate the following sentences into English.

(1) 因　为　安　妮　生　病　了，
　　yīn wèi ān nī shēng bìng le

　　所　以　她　今　天　没　来
　　suǒ yǐ tā jīn tiān méi lái

　　上　课。
　　shàng kè

Annie is sick, so she did not

come to class today.

(2)

王　小　雨　是　狗　年　出
wáng xiǎo yǔ shì gǒu nián chū

生　的，所　以　她　属　狗。
shēng de suǒ yǐ tā shǔ gǒu

_____

_____

(3) 杰　克　跟　弟　弟　一　样　高。
　　jié kè gēn dì di yí yàng gāo

_____

_____

(4)

马　明　跟　他　舅　舅　的
mǎ　míng　gēn　tā　jiù　jiu　de

属　相　一　样。
shǔ　xiàng　yí　yàng

_____

_____

7. Writing.

Hints:　　Answer the following questions and then make a paragraph.

Questions:　Do you know which animal represents the year in which you were born? What is it?

Do you know your family members' and your friends' Chinese zodiac signs?

Key words: 出　生　属　相　年　动　物　比
chū shēng　shǔ xiang　nián　dòng wù　bǐ

8. Exercises on Chinese characters.

(1) Identify the components of each of the following Chinese characters.

Example	① 跟→足+艮

旗→   相→   动→   物→

           ② 属→尸+禹

适→   腐→   道→   度→

(2) Combine the following grouped components into Chinese characters.

Example	一+田+凵→画

衤+包→   亻+分→

亠+口+冋→   方+𠂉+其→

(3) Copy the Chinese characters by following the stroke order.

huà	画	画	画	画	画	画	画	画	画					
xiàng	相	相	相	相	相	相	相	相	相					
shǔ	属	属	属	属	属	属	属	属	属	属	属			
qí	旗	旗	旗	旗	旗	旗	旗	旗	旗	旗	旗	旗	旗	旗

25 古代的旗袍是什么样子
gǔ dài de qí páo shì shén me yàng zi

1. **Choose the corresponding translation for each word.**

1 but	2 notice	3 woman	4 to found
5 ancient times	6 Han nationality	7 animal	8 to take interest in

(1) tōngzhī 通知 _____2_____   (2) gǔdài 古代 _____

(3) Hànzú 汉族 _____   (4) jiànlì 建立 _____

(5) fùnǚ 妇女 _____   (6) búguò 不过 _____

(7) dòngwù 动物 _____   (8) gǎn xìngqu 感兴趣 _____

2. **Choose the correct *Pinyin* for each word.**

Qīngcháo	满族
fúzhuāng	第
Hànzú	通知
Mǎnzú	服装
dì	感兴趣
tōngzhī	清朝
gǎn xìngqu	汉族

3. **Match the words in the left column and the ones in the right to form new phrases.**

gǎn 感	hūnlǐ 婚礼
shǔ 属	yīfu 衣服
jiǎn 减	lǐngdài 领带
chuān 穿	xìngqu 兴趣
jì 系	féi 肥
cānjiā 参加	gǒu 狗

4. Fill in the blanks with the proper words.

> 一样　　因为　　更　　所以　　比
> yí yàng　yīn wèi　gèng　suǒyǐ　bǐ

(1) 这 个 运 动 场 很 大,但 是 那 个 运 动 场 _____ 大。
zhè ge yùn dòng chǎng hěn dà dàn shì nà ge yùn dòng chǎng　　dà

(2) 这 篇 课 文 有 点 儿 难,但 是 那 篇 课 文 _____ 难。
zhè piān kè wén yǒu diǎnr　nán dàn shì nà piān kè wén　　nán

(3) 李 大 龙 踢 球 时 摔 伤 了,_____ 他 要 向 老 师
lǐ dà lóng tī qiú shí shuāi shāng le　　　　tā yào xiàng lǎo shī

请 假。
qǐng jià

(4) _____ 没 有 参 加 朋 友 的 生 日 晚 会,所 以
　　　　méi yǒu cān jiā péng you de shēng rì wǎn huì suǒ yǐ

安 妮 不 太 高 兴。
ān nī bú tài gāo xìng

(5) 我 爸 爸 的 身 体 跟 我 叔 叔 的 身 体 _____ 健 康。
wǒ bà ba de shēn tǐ gēn wǒ shū shu de shēn tǐ　　jiàn kāng

(6) 我 妹 妹 总 是 觉 得 别 人 的 衣 服 _____ 自 己
wǒ mèi mei zǒng shì jué de bié rén de yī fu　　　zì jǐ

的 漂 亮。
de piào liang

5. Decide whether the following statements are true or false (T/F).

(1) 学 校 因 为 已 经 放 假 了,所 以 马 明 打 算 去
xué xiào yīn wèi yǐ jīng fàng jià le suǒ yǐ mǎ míng dǎ suàn qù

旅 游。 __F__
lǚ yóu

(2) 因 为 后 天 是 圣 诞 节,所 以 杰 克 买 了 一 些
yīn wèi hòu tiān shì shèng dàn jié suǒ yǐ jié kè mǎi le yì xiē

礼　物。——
lǐ　wù

(3) 王　小　雨　的　旗　袍　比　她　妈　妈　的　一　样　长。——
wáng xiǎo yǔ de qí páo bǐ tā mā ma de yí yàng cháng

(4) 这　里　的　天　气　比　那　里　的　天　气　更　热。——
zhè li de tiān qì bǐ nà li de tiān qì gèng rè

6. Translate the following sentences into English.

(1) 王　小　雨　的　衣　服　比
wáng xiǎo yǔ de yī fu bǐ

她　妹　妹　的　短。
tā mèi mei de duǎn

Wang Xiaoyu's T-shirt is shorter
————————————————————

than her younger sister's.

(2)

古　代　的　旗　袍　比　现　在　的　长，
gǔ dài de qí páo bǐ xiàn zài de cháng

也　比　现　在　的　大。
yě bǐ xiàn zài de dà

————————————————————

————————————————————

(3) 她　的　妈　妈　正　在　减　肥。
tā de mā ma zhèng zài jiǎn féi

————————————————————

(4)

服 装 节 在 下 星 期 举 行。
fú zhuāng jié zài xià xīng qī jǔ xíng

_____

7. Writing.

Hints: Write a notice about a match, or celebration for a festival or other such events.

Key words: 通 知　时 间　地 点　感 兴 趣　参 加　欢 迎
　　　　　tōng zhī　shí jiān　dì diǎn　gǎn xìng qù　cān jiā　huān yíng

8. Find the *Pinyin* hidden in the box and write down the corresponding Chinese characters.

z	d	t	y	u	i	J	g	j
sh	í	m	á	o	h	a	f	i
w	f	s	t	q	m	n	ú	é
g	d	ò	n	g	w	ù	zh	h
y	q	r	h	ǎ	o	k	u	ū
h	zh	o	i	n	j	à	ā	n
é	r	ch	h	x	f	n	n	k
sh	b	ū	s	ì	p	T	g	y
ì	n	sh	ē	n	g	J	sh	o
w	u	e	c	g	m	R	ch	z
y	a	w	f	q	u	d	e	a

(1)   hǎokàn   好看   (2) _____

(3) _____   (4) _____

(5) _____   (6) _____

(7) _____   (8) _____

9. Exercises on Chinese characters.

(1) Identify the components of each of the following Chinese characters.

> **Example**   感→咸＋心

属→   穿→   变→

系→   第→   香→

(2) Combine the following grouped components into Chinese characters.

Example 女＋彐→妇

女＋昏→   女＋且→   女＋也→

亻＋也→   女＋马→   口＋马→

(3) Copy the Chinese characters by following the stroke order.

dài	代	代	代	代	代	代									
fù	妇	妇	妇	妇	妇	妇									
biàn	变	变	变	变	变	变	变	变							
zú	族	族	族	族	族	族	族	族	族	族	族				
cháo	朝	朝	朝	朝	朝	朝	朝	朝	朝	朝	朝				
qù	趣	趣	趣	趣	趣	趣	趣	趣	趣	趣	趣	趣	趣	趣	趣

Unit Six

26 这 里 不 能 放 自 行 车
zhè li bù néng fàng zì xíng chē

1. Combine the characters in the box into words and then write them in *Pinyin*.

爱	环	垃	路
地	回	打	通
圾	知	护	扫
家	境	口	方

(1) __爱护 àihù__   (2) _____

(3) _____   (4) _____

(5) _____   (6) _____

(7) _____   (8) _____

2. Choose the correct *Pinyin* for each word.

bǎ	丢
huánjìng	扔
fàng	把
diū	放
rēng	打扫
dǎsǎo	环境

3. Translate.

(1) huánjìng 环境 __environment__   (2) dǎsǎo 打扫 _____

(3) àihù 爱护 _____   (4) dìfang 地方 _____

(5) huíjiā 回家 _____   (6) késou 咳嗽 _____

(7) fāshāo 发烧 _____   (8) wénhuà 文化 _____

4. Write sentences according to the pictures.

(1) 马 明 把 自 行 车
　　mǎ míng bǎ zì xíng chē

　　放 在 路 边。
　　fàng zài lù biān

(2) _____

(3) _____

(4) _____

5. Correct the mistakes in the following sentences.

(1) 安 妮 送 把 礼 物 给 爷 爷 了。
　　ān nī sòng bǎ lǐ wù gěi yé ye le

　　安 妮 把 礼 物 送 给 爷 爷 了。
　　ān nī bǎ lǐ wù sòng gěi yé ye le

(2) 你 放 自 行 车 在 哪 儿 了?
nǐ fàng zì xíng chē zài nǎr le

_____

(3) 妹 妹 在 路 边 把 垃 圾 扔。
mèi mei zài lù biān bǎ lā jī rēng

_____

(4) 我 喝 完 了 把 牛 奶。
wǒ hē wán le bǎ niú nǎi

_____

6. Translate the following sentences into English.

(1) 十 点 了，该 上 汉 语 课 了。
shí diǎn le gāi shàng hàn yǔ kè le

It's 10 o'clock, it's time for Chinese class.

(2) 不 早 了，我 们 该 回 家 了。
bù zǎo le wǒ men gāi huí jiā le

_____

(3) 请 把 书 放 在 桌 子 上。
qǐng bǎ shū fàng zài zhuō zi shang

_____

(4) 你 把 我 的 自 行 车 放 在 哪 儿 了?
nǐ bǎ wǒ de zì xíng chē fàng zài nǎr le

_____

(5) 请 把 这 张 贺 卡 给 刘 老 师。
qǐng bǎ zhè zhāng hè kǎ gěi liú lǎo shī

_____

7. Writing.

Hints:　Answer the following questions and then make a paragraph.

Questions:　Do you like cycling? What advantages do you think cycling has? What do you usually use a bike for?

Key words: 环 境　锻 炼　经 常　自 行 车　骑
huán jìng　duàn liàn　jīng cháng　zì xíng chē　qí

8. Exercises on Chinese characters.

(1) Identify the components of each of the following Chinese characters.

Example	圾→土＋及

护→　　　　　　扫→　　　　　　环→　　　　　　现→

扔→　　　　　　奶→　　　　　　垃→　　　　　　位→

(2) Combine the following grouped components into Chinese characters.

Example	王＋不→环

口＋口→　　　　　口＋玉→　　　　　口＋大→　　　　　口＋元→

(3) Copy the Chinese characters by following the stroke order.

sǎo	扫	扫	扫	扫	扫	扫	扫		
jī	圾	圾	圾	圾	圾	圾			
hù	护	护	护	护	护	护	护		
lā	垃	垃	垃	垃	垃	垃	垃	垃	
huán	环	环	环	环	环	环	环	环	

我们要把教室打扫干净

wǒ men yào bǎ jiào shì dǎ sǎo gān jìng

1. Combine the characters in the box into words and then write them in *Pinyin*.

干	帮	保	活
路	这	环	边
护	垃	忙	圾
境	净	么	动

(1) 干净 gānjìng   (2) _____

(3) _____   (4) _____

(5) _____   (6) _____

(7) _____   (8) _____

2. Choose the correct *Pinyin* for each word.

bǎohù	这么
xǐ	脏
mùjuān	帮
zhème	环境
nàme	保护
zāng	募捐
huánjìng	洗
bāng	那么

3. Translate.

(1) xǐ 洗   to wash   (2) zāng 脏 _____

(3) gānjìng 干净 _____   (4) bǎohù 保护 _____

(5) bāngmáng 帮忙 _____   (6) huódòng 活动 _____

(7) àihù 爱护 _____   (8) huánjìng 环境 _____

4. Match the words in the left column and the ones in the right to form new phrases.

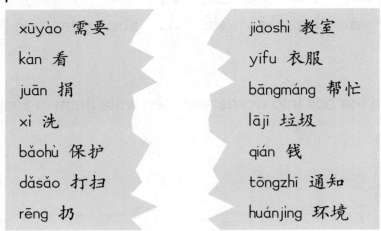

xūyào 需要

kàn 看

juān 捐

xǐ 洗

bǎohù 保护

dǎsǎo 打扫

rēng 扔

jiàoshì 教室

yīfu 衣服

bāngmáng 帮忙

lājī 垃圾

qián 钱

tōngzhī 通知

huánjìng 环境

5. Fill in the blanks with the proper words. You can refer to the pictures.

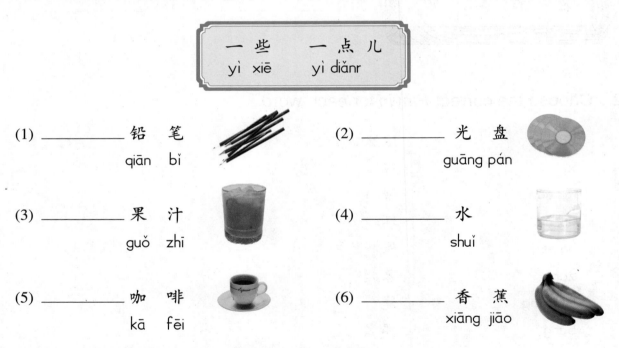

一些　　一点儿
yì xiē　　yì diǎnr

(1) _____ 铅 笔
qiān bǐ

(2) _____ 光 盘
guāng pán

(3) _____ 果 汁
guǒ zhī

(4) _____ 水
shuǐ

(5) _____ 咖 啡
kā fēi

(6) _____ 香 蕉
xiāng jiāo

6. Translate the following sentences into English.

(1) 需 要 我 帮 忙 吗？
xū yào wǒ bāng máng ma

Do you need my help?

(2) 先 生, 你 的 车 需 要 洗 吗？
xiān sheng nǐ de chē xū yào xǐ ma

(3) 他 们 两 个 人 能 做 完 这 么 多 工 作 吗?
tā men liǎng ge rén néng zuò wán zhè me duō gōng zuò ma

_____

(4) 王 小 雨 说 她 能 把 教 室 打 扫 干 净, 不 需 要
wáng xiǎo yǔ shuō tā néng bǎ jiào shì dǎ sǎo gān jìng bù xū yào

帮 忙。
bāng máng

_____

7. Writing.

Hints: Answer the following questions and then make a paragraph.

Questions: Do you think your city is clean? Does your city have any environmental problems?
            What have you and your friends done for environmental protection?

Key words: 环 境   干 净   脏   活 动   保 护   帮 忙
huán jìng   gān jìng   zāng   huó dòng   bǎo hù   bāng máng

---

8. Exercises on Chinese characters.

(1) Identify the components of each of the following Chinese characters.

Example　弄→王＋廾

帮→　　　　　　腐→　　　　　要→　　　　　　看→

等→　　　　　　客→　　　　　李→　　　　　　资→

(2) Combine the following grouped components into Chinese characters.

Example　扌＋肙→捐

扌＋圭→　　　　　　扌＋隹→　　　　　　扌＋斤→

扌＋斥→　　　　　　讠＋兑→　　　　　　讠＋只→

(3) Copy the Chinese characters by following the stroke order.

nòng	弄	弄 弄 弄 弄 弄 弄 弄				
jìng	净	净 净 净 净 净 净 净				
bǎo	保	保 保 保 保 保 保 保 保				
huó	活	活 活 活 活 活 活 活 活				
tuī	推	推 推 推 推 推 推 推 推 推				
mù	募	募 募 募 募 募 募 募 募 募 募 募 募				

28 公共场所禁止吸烟
gōng gòng chǎng suǒ jìn zhǐ xī yān

1. Combine the characters in the box into words and then write them in *Pinyin*.

商	必	吸	面
遵	外	太	禁
太	食	店	烟
须	守	止	品

(1) 商店 shāngdiàn   (2) _____

(3) _____   (4) _____

(5) _____   (6) _____

(7) _____   (8) _____

2. Choose the correct *Pinyin* for each word.

xiūxishì   遵守

jìnzhǐ   场所

duìmiàn   商店

zūnshǒu   对面

chǎngsuǒ   禁止

shāngdiàn   休息室

3. Translate.

(1) shípǐn 食品 ___food___   (2) guīdìng 规定 _____

(3) jìnzhǐ 禁止 _____   (4) bìxū 必须 _____

(5) zūnshǒu 遵守 _____   (6) xīyān 吸烟 _____

(7) shāngdiàn 商店 _____   (8) wèishēngjiān 卫生间 _____

4. Complete the following sentences according to the pictures.

(1)   这　里　禁　止 _____。
　　　　　　　　　　zhè　lǐ　jìn　zhǐ

(2)   这　里　禁　止 _____。
　　　　　　　　　　zhè　lǐ　jìn　zhǐ

(3)   这　里　禁　止 _____。
　　　　　　　　　　zhè　lǐ　jìn　zhǐ

(4)   这　里　禁　止 _____。
　　　　　　　　　　zhè　lǐ　jìn　zhǐ

5. Complete the following sentences as the example according to the pictures.

(1)

(2)

明　天　我　们　要　去　旅　游，
míng tiān wǒ men yào qù lǚ yóu

现　在　必　须　准　备　一　下。
xiàn zài bǐ xū zhǔn bèi yí xià

我　的　朋　友　来　了，
wǒ de péng you lái le

我 _____。
wǒ

(3)

我 把 房 间 弄 脏 了，
wǒ bǎ fáng jiān nòng zāng le

_____。

(4)

王 老 师 生 病 了，
wáng lǎo shi shēng bìng le

她 _____。
tā

6. Rearrange the following words into a correct sentence.

(1) 我 要 我 的 狗 买 给 食品
   wǒ yào wǒ de gǒu mǎi gěi shí pǐn

   我 要 给 我 的 狗 买 食品。
   wǒ yào gěi wǒ de gǒu mǎi shí pǐn

(2) 我们 打扫 干净 房间 把 了
   wǒmen dǎsǎo gānjìng fángjiān bǎ le

   _____

(3) 你 去 吸烟 必须 吸烟室
   nǐ qù xī yān bì xū xī yān shì

   _____

(4) 今天 能 做 你 完 晚上 作业 吗
   jīn tiān néng zuò nǐ wán wǎnshang zuò yè ma

   _____

7. Translate the following sentences into English.

(1) 公 共 场 所 禁 止 吸 烟。
   gōng gòng chǎng suǒ jìn zhǐ xī yān

   Smoking is prohibited in public places.

(2) 这 里 禁 止 扔 垃 圾。
zhè li jìn zhǐ rēng lā jī

_____

(3) 太 太，你 必 须 把 狗 带 出 去!
tài tai nǐ bì xū bǎ gǒu dài chū qù

_____

(4) 吸 烟 室 在 休 息 室 的 对 面。
xī yān shì zài xiū xi shì de duì miàn

_____

8. Writing: Write a paragraph according to the given pictures.

Key words: 禁止   吸烟   太太   必须   遵守   规定
          jìn zhǐ xī yān tài tai bì xū zūn shǒu guī dìng

_____

_____

_____

_____

9. Exercises on Chinese characters.

(1) Identify the components of each of the following Chinese characters.

   Example   须→彡＋页

   影→   形→   衫→

   顶→   领→   顿→

(2) Combine the following grouped components into Chinese characters.

   Example   林＋示→禁

   宀＋寸→   宀＋玉→   火＋因→   火＋包→

   土＋易→   土＋立→   户＋斤→   亲＋斤→

(3) Copy the Chinese characters by following the stroke order.

zhǐ	止	止 止 止 止									
xī	吸	吸 吸 吸 吸 吸 吸									
xū	须	须 须 须 须 须 须 须 须									
yān	烟	烟 烟 烟 烟 烟 烟 烟 烟 烟									
shāng	商	商 商 商 商 商 商 商 商 商 商 商								
jìn	禁	禁 禁 禁 禁 禁 禁 禁 禁 禁 禁 禁 禁							

我帮邻居们遛狗

wǒ bāng lín jū men liù gǒu

1. Combine the characters in the box into words and then write them in *Pinyin*.

旅	欧	南	打
工	放	行	然
后	方	外	禁
止	面	假	洲

(1) 旅行 lǚxíng

(2) _____

(3) _____

(4) _____

(5) _____

(6) _____

(7) _____

(8) _____

2. Choose the correct *Pinyin* for each word.

línghuāqián	份
fèn	挣
shǔjià	暑假
Ōuzhōu	欧洲
fēijīpiào	飞机票
zhèng	零花钱

3. Translate.

(1) nánfāng 南方 ___south___

(2) zhèng qián 挣钱 _____

(3) dǎgōng 打工 _____

(4) Ōuzhōu 欧洲 _____

(5) lǚxíng 旅行 _____

(6) ránhòu 然后 _____

(7) fàngjià 放假 _____

(8) línghuāqián 零花钱 _____

4. Make up sentences with the words in the box as the example.

吃饭	打球
找工作	结婚
做作业	看电视
上课	去医院

(1) 马　明　打　算　先　去　吃　饭，然　后　再　去　打　球。
　　 mǎ　míng　dǎ　suàn　xiān　qù　chī　fàn　rán　hòu　zài　qù　dǎ　qiú

(2) _____

(3) _____

(4) _____

5. Rearrange the following words into a correct sentence.

(1) 你　干　打算　什么　暑假
　　 nǐ　gàn　dǎ suàn　shén me　shǔ jià

　　 你　暑　假　打　算　干　什　么？
　　 nǐ　shǔ　jià　dǎ　suàn　gàn　shén　me

(2) 能　帮　你　的　我　朋友　吗
　　 néng　bāng　nǐ　de　wǒ　péng you　ma

　　 _____

(3) 要　一起　跟　我　妈妈　旅行　去　欧洲
　　 yào　yì qǐ　gēn　wǒ　mā ma　lǚ xíng　qù　ōu zhōu

　　 _____

(4) 杰克　一起　打算　跟　去　打工　弟弟
　　 jié kè　yì qǐ　dǎ suàn　gēn　qù　dǎ gōng　dì di

　　 _____

6. Translate the following sentences into English.

(1) 放 假 以 后 你 有 什 么 打 算？
fàng jià yǐ hòu nǐ yǒu shén me dǎ suàn

<u>　　What's your plan for the vacation?　　</u>

(2) 杰 克 想 去 南 方 旅 行。
jié kè xiǎng qù nán fāng lǚ xíng

_____

(3) 暑 假 的 时 候 马 明 打 算 打 工。
shǔ jià de shí hou mǎ míng dǎ suàn dǎ gōng

_____

(4) 回 家 以 后，林 太 太 先 吃 了 晚 饭，然 后 去 遛 狗。
huí jiā yǐ hòu lín tài tai xiān chī le wǎn fàn rán hòu qù liù gǒu

_____

7. Writing.

Hints: Talk about your plans for a vacation. Are you going travelling? Taking a part-time job? Learning music or doing some other things?

Key words: 放假　　打算　　旅行　　打工　　欧洲　　南方
　　　　　fàngjià　dǎ suàn　lǚxíng　dǎ gōng　ōu zhōu　nánfāng

8. **Exercises on Chinese characters.**

(1) Identify the components of each of the following Chinese characters.

Example   洲→氵＋州

泳→　　　　　　　旅→　　　　　　　旗→　　　　　　　欧→

歌→　　　　　　　环→　　　　　　　机→　　　　　　　极→

(2) Combine the following grouped components into Chinese characters.

Example   雨＋令→零

日＋者→　　　　　　　日＋辰→　　　　　　　饣＋合→

西＋示→　　　　　　　邦＋巾→

(3) Copy the Chinese characters by following the stroke order.

fēi	飞	飞	飞	飞										
zhōu	州	州	州	州	州	州	州							
lǚ	旅	旅	旅	旅	旅	旅	旅	旅	旅	旅				
dá	答	答	答	答	答	答	答	答	答	答	答	答		
líng	零	零	零	零	零	零	零	零	零	零	零	零	零	零
liù	遛	遛	遛	遛	遛	遛	遛	遛	遛	遛	遛	遛	遛	遛

30 暑假就要开始了
shǔ jià jiù yào kāi shǐ le

1. Combine the characters in the box into words and then write them in *Pinyin*.

愉	安	学	也
森	注	回	计
意	划	快	来
许	全	林	期

(1) 愉快 yúkuài   (2) _____

(3) _____   (4) _____

(5) _____   (6) _____

(7) _____   (8) _____

2. Choose the correct *Pinyin* for each word.

bǎohù	南方
hé'àn	森林
quántǐ	河岸
sēnlín	保护
xiàlìngyíng	全体
nánfāng	夏令营

3. Translate.

(1) yěxǔ 也许   maybe   (2) sēnlín 森林 _____

(3) ānquán 安全 _____   (4) jìhuà 计划 _____

(5) zhùyì 注意 _____   (6) kǎochá 考察 _____

(7) xuéqī 学期 _____   (8) xiàlìngyíng 夏令营 _____

4. Write a Chinese word that can best describe each picture.

(1)

chéngchuán 乘船

(2)

_____

(3)

_____

(4)

_____

(5)

_____

(6)

_____

5. Answer the following questions by using the given words.

(1) A: 马 明，今 天 你 为 什 么 没 有 骑 自 行 车 上 学？
mǎ míng jīn tiān nǐ wèi shén me méi yǒu qí zì xíng chē shàng xué

B: 因 为 我 的 朋 友 把 我 的 自 行 车 骑 走 了。(把)
yīn wèi wǒ de péng you bǎ wǒ de zì xíng chē qí zǒu le bǎ

(2) A: 你 能 _____？ (把)
nǐ néng   bǎ

B: 当 然 可 以。
dāng rán kě yǐ

(3) A: 李 大 龙 在 哪 儿?
　　　lǐ dà lóng zài nǎr

B: _____。（该……了）
　　　　　　　　　　　　　　　　　　　　　gāi　　le

(4) A: 我 现 在 觉 得 有 点 儿 饿。
　　　wǒ xiàn zài jué de yǒu diǎnr　è

B: _____。（一 些）
　　　　　　　　　　　　　　　　　　　　　yì xiē

(5) A: 这 里 能 吸 烟 吗?
　　　zhè li néng xī yān ma

B: 你 _____。（必 须）
　　 nǐ　　　　　　　　　　　　　　　　bì xū

6. **Translate the following sentences into English.**

(1) 请 来 参 加 我 们 的 夏 令 营!
　　qǐng lái cān jiā wǒ men de xià lìng yíng

Come and join us in our summer camp! _____

(2) 希 望 你 们 过 一 个 愉 快 的 暑 假!
　　xī wàng nǐ men guò yí ge yú kuài de shǔ jià

_____

(3) 现 在 人 们 都 特 别 注 意 保 护 环 境。
　　xiàn zài rén men dōu tè bié zhù yi bǎo hù huán jìng

_____

(4) 放 假 了, 有 的 人 要 去 旅 行, 有 的 人 要 去 参
　　fàng jià le yǒu de rén yào qù lǚ xíng yǒu de rén yào qù cān

加 夏 令 营。
jiā xià lìng yíng

_____

7. Writing.

Hints: Design a poster. Write down the specific time, place and things needed for a certain activity.

Key words: 愉 快　　假 期　　夏 令 营　　安 全　　考 察　　计 划
　　　　　yú kuài　　jià qī　　xià lìngyíng　　ān quán　kǎochá　ji huà

8. Find the *Pinyin* hidden in the box and write down the corresponding Chinese characters.

e	s	ē	n	l	í	n	u	k
w	sh	g	y	ā	w	o	i	l
x	b	y	r	n	q	u	á	n
q	h	ú	zh	t	i	p	r	p
j	k	k	ǎ	o	ch	á	zh	a
i	l	u	b	sh	é	l	g	d
h	u	à	k	c	n	r	q	e
r	m	i	d	y	g	e	t	f
á	n	h	ò	u	ch	u	á	n
b	u	n	á	n	f	ā	n	g

(1) ___ānquán 安全___   (2) _____

(3) _____   (4) _____

(5) _____   (6) _____

(7) _____   (8) _____

9. Exercises on Chinese characters.

(1) Identify the components of each of the following Chinese characters.

> **Example**   考→耂＋丂

若→   者→   计→

船→   森→   察→

(2) Combine the following grouped components into Chinese characters.

> **Example**   艹＋冖＋吕→营

宀＋共＋贝→   口＋束＋欠→   木＋木＋木→

亻＋古＋攵→   山＋厂＋干→   舟＋几＋口→

(3) Copy the Chinese characters by following the stroke order.

jì	计	计	计	计	计							
kǎo	考	考	考	考	考	考	考					
qīn	亲	亲	亲	亲	亲	亲	亲	亲	亲	亲		
yíng	营	营	营	营	营	营	营	营	营	营	营	营
chuán	船	船	船	船	船	船	船	船	船	船	船	船
yú	愉	愉	愉	愉	愉	愉	愉	愉	愉	愉	愉	愉

部分练习题答案

1 **我来介绍一下**

    4. (2) 介绍一下   (3) 看一下（借一下）   (4) 用一下（看一下、借一下）

         (5) 介绍一下

    5. (1) 早、一下、这、认识、也   (2) 找、你好、新、欢迎、年级

2 **他们骑自行车上学**

    4. (2) 安妮每天坐公共汽车上学。   (3) 王小雨每天走路上学。

         (4) 王老师每天开车去学校。

    5. (1) 早上、坐、怎么、骑   (2) 邻居、住、条、怎么、往

3 **我想选音乐课**

    4. (2) 安妮想上数学课。   (3) 李大龙想选音乐课和武术课。

         (4) 王小雨想选音乐课和电脑课。

    5. 上、打算、选、还、不过

4 **我能用一下你的橡皮吗**

    4. 能、当然、哪儿、里、在、谢谢

    5. (2) A：我能用一下你的铅笔吗？   B：当然可以。

         (3) A：我能借一下你的文具盒吗？   B：好的，给你。

         (4) A：我能骑一下你的自行车吗？   B：没问题。

5 **我们的校园**

    4. 一张桌子、一把椅子、一片草地、一个书包、一把雨伞、一件衣服、

         一张光盘、一根铅笔、一辆自行车

    6. (2) 我每天走路上学。   (3) 马明想选武术课。   (4) 当然可以。

         (5) 图书馆的东边是游泳池。

6 哪个队赢了

4. (2) 昨天晚上王老师看足球比赛了。　(3) 去年暑假李大龙学开车了。

　　(4) 前天晚上八点马明做作业了。

5. (1) 觉得、怎么样、跟、一般　(2) 个、了、怎么样、觉得

7 给你一张电影票

3. (2) 足球迷　(3) 电视迷　(4) 书迷　(5) 游泳迷　(6) 电脑迷

4. (2) 现在是八点半，李小龙要去上学。

　　(3) 时间不早了，安妮的妈妈要回家了。

　　(4) 快十一点了，小雨的妹妹要睡觉了。

5. 了、去、非常、可惜、不、太、了

8 你的爱好是什么

4. (2) 舞会已经结束了。　(3) 已经九点一刻了。　(4) 已经星期五了。

5. (1) 参加、已经、从、到、已经、了　(2) 爱好、一起、到、从、有

9 比赛就要开始了

3. (2) 小　(3) 结束　(4) 上边　(5) 左边　(6) 北　(7) 来　(8) 黑色

10 我的新朋友

3. 看电视、有意思、参加运动会、准备饭菜、开始学习

4. (1) 从、到　(2) 已经　(3) 太、了　(4) 要、了　(5) 都、迷　(6) 告诉、情况

11 你在干什么

4. (2) 李大龙在跑步。　(3) 安妮的妈妈在买衣服。　(4) 刘老师在上网。

5. 干、在、和、给、了、要、先

12 祝你节日快乐

4. (2) 老师让小雨写作业。　(3) 教练让李大龙打篮球。

　　(4) 杰克的朋友让杰克给他打电话。

13 我想当律师

4. (1) 现在　(2) 以前、现在　(3) 没关系　(4) 对不起

5. (2) 安妮的爸爸以前是老师。　(3) 王小雨的妈妈现在是秘书。

　　(4) 安妮的姐姐以前是护士。

14 我们应该庆祝一下

4. (1) 已经十一点半了，刘老师应该已经睡觉了。

(2) 天快黑了，爷爷还在钓鱼。

(3) 已经十点多了，安妮的妹妹还在写作业。

(4) 今天是周末，但是他的哥哥还在工作。

5. 几、打算、应该、出发、还、吧

15 一次野餐

5. (2) T   (3) T   (4) F   (5) T

16 早饭你吃了什么

3. (2) 鸡蛋   (3) 饺子   (4) 香蕉   (5) 面包   (6) 包子

17 我喜欢喝茶

3. (2) T   (3) F   (4) T   (5) T   (6) F

4. 怎么、又、又、请、不、爱、都、种

18 我吃饱了

4. (1) 饱   (2) 完   (3) 会   (4) 好

5. (2) 一点儿   (3) 有点儿   (4) 有点儿

19 我的手摔伤了

4. (2) 你有点儿发烧。   (3) 你最好借把伞。   (4) 她最好在家休息。

5. 要、完、有点儿、可能、最好

20 叔叔请客

4. (2) 吃饱   (3) 做完   (4) 约好

5. (2) 我今天踢了很长时间的足球，现在有点儿累。

(3) 今天又凉快又舒服，我们出去玩吧。

(4) 晚上我不能和你去看电影了，因为我要请一个朋友吃饭。

21 我穿什么好

4. (2) 一副手套   (3) 一件衬衫   (4) 一条裤子

5. (2) 这件T恤衫很大，但是那件更大。

(3) 那件红色的旗袍有点儿长，但是这件蓝色的更长。

(4) 这双运动鞋很贵，可是那双更贵。

22 这种鞋跟那种鞋一样

5. (2) 这条领带跟那条一样。（那条领带跟这条一样。）

(3) 这条牛仔裤跟那条不一样。（那条牛仔裤跟这条不一样。）

(4) 这件衣服的颜色跟那件一样。（那件衣服的颜色跟这件一样。）

23 请给我们拿两件大号的 T 恤衫

4. (2) 黑色的那条比灰色的那条长。

(3) 这个地方比那个地方冷。

(4) 红色的那个比白色的那个大。

5. (2) F　(3) T　(4) T

24 他衣服上画的是龙

3. (2) 龙　(3) 马　(4) 羊　(5) 鸡　(6) 狗　(7) 猪　(8) 兔

4. (2) 大（长）　(3) 热　(4) 好吃

5. (1) 因为堵车，所以我迟到了。

(2) 因为爷爷常常锻炼身体，所以他身体一直很好。

(3) 因为他是 1988 年出生的，所以他属龙。

(4) 因为刮大风了，所以我们没有出去。

25 古代的旗袍是什么样子

3. 感兴趣、属狗、减肥、穿衣服、系领带、参加婚礼

4. (1) 更　(2) 更　(3) 所以　(4) 因为　(5) 一样　(6) 比

5. (2) T　(3) F　(4) T

26 这里不能放自行车

4. (2) 王老师把书放在桌子上。　(3) 他把钱放进钱包里。

(4) 他把垃圾扔在地上。

5. (2) 你把自行车放哪儿了？　(3) 妹妹把垃圾扔在路边。

(4) 我把牛奶喝完了。

27 我们要把教室打扫干净

4. 需要帮忙、看通知、捐钱、洗衣服、保护环境、打扫教室、扔垃圾

5. (1) 一些　　(2) 一些　　(3) 一些（一点儿）　　(4) 一些（一点儿）

　　(5) 一些（一点儿）　　(6) 一些

28 公共场所禁止吸烟

4. (1) 这里禁止吸烟。　　(2) 这里禁止游泳。　　(3) 这里禁止踢足球。

　　(4) 这里禁止放自行车。

5. (2) 我的朋友来了，我必须走了。

　　(3) 我把房间弄脏了，妈妈下班之前必须打扫干净。

　　(4) 王老师生病了，她必须住院。

29 我帮邻居们遛狗

5. (2) 你能帮我的朋友吗？　　(3) 我要跟妈妈一起去欧洲旅行。

　　(4) 杰克打算跟弟弟一起去打工。（弟弟打算跟杰克一起去打工。）

30 暑假就要开始了

4. (2) 听音乐　　(3) 钓鱼　　(4) 遛狗　　(5) 买机票　　(6) 问路

5. (2) 你能把那本书递给我吗？　　(3) 该他上场了。　　(4) 先吃一些饼干吧。

　　(5) 你必须去吸烟室吸烟。